Tsitsi Dangarembga (Hg.)
Die Schwere des Seins
Postkoloniale Erzählungen
aus Simbabwe

Aus dem Englischen
von Anette Grube

Tsitsi Dangarembga (Hg.)

Die Schwere des Seins

Postkoloniale Erzählungen
aus Simbabwe

von
Tsitsi Dangarembga
Ignatius Tirivangani Mabasa
Yandani Mlilo
Elizabeth R. S. Muchemwa
Charmaine R. Mujeri
Karen Mukwasi

reihe
afrika
bewegt

orlanda

Inhaltsverzeichnis

Vorwort

Madeleine Thien

»Ich werde an der Quelle des Stromes leben,
wo die Fragen aller Menschen beginnen.«
Dambudzo Marechera aus *Das Haus des Hungers*

1

Im November 2012 trafen wir uns zehn Tage lang in einem Bibliotheksraum der spanischen Botschaft in Harare. Der Raum befand sich in einem scheinbar provisorischen Gebäude, das durch Benutzung zu einer dauerhaften Einrichtung geworden war: eine Art Modul am hinteren Rand des Rasens der Botschaft. Unsere Gruppe von zehn Schriftsteller*innen, darunter Ignatius Tirivangani Mabasa, Tsitsi Dangarembga und ich selbst als Moderator*innen, trafen uns jeden Tag für sieben Stunden, um zu lesen, zu diskutieren und vor allem um zu schreiben.

Dieses Buch enthält sieben literarische Werke. Es wurde von über sechzig wahren Geschichten inspiriert – Erinnerungen, Testamenten, Zeugenaussagen, Geständnissen, Fragen, Bekenntnissen, Gegendarstellungen –, die uns per Post und über in ganz Simbabwe aufgestellte Sammelkästen erreichten.

»Ich bin eine fünfzig Jahre alte Frau«, beginnt Brief Nummer 10.
19 ist unterschrieben mit »Eine beunruhigte Mutter«.
20, 41, 44, 45, 50: »Ich weiß nicht, was ich tun soll.«
49: »Ich bin eine Großmutter. Soll ich es einfach vergessen?«

51: »Wie sollen wir das lösen, wenn sogar mein Leben bedroht ist?«

11: »Ich habe diese Vorfälle nie der Polizei gemeldet.«

41: »Von einer Person belästigt zu werden, schmerzt mehr als eine Krankheit.«

29: »Ich will dir von meinem Leben erzählen.«

34: »Mein Herz blutet.«

Alle Verfasser*innen wollten eine Wahrheit zum Ausdruck bringen, und sie wollten, dass diese Wahrheit gehört wird. Viele äußerten auch den Wunsch – das Bedürfnis –, sich selbst zu akzeptieren, wie sie jetzt sind, heute, nach zutiefst traumatischen Erfahrungen.

2

An einem Nachmittag gab uns Tsitsi die Anweisung, uns auf dem Rasen der Botschaft zu verteilen und über einen Akt der Gewalt – physischer, emotionaler oder psychologischer Gewalt – nachzudenken, den wir selbst begangen hatten. Ich saß allein da und dachte über etwas nach, das ich als Jugendliche getan hatte, und ich zwang mich, fünfzehn oder zwanzig lange Minuten aus der Perspektive des Opfers darüber nachzudenken. Ich sah viele Dinge, die ich vor mir selbst verborgen hatte. Als sich die Gruppe wieder versammelte, war ich die Einzige, die ihre Geschichte nicht erzählte. Bis heute denke ich über die Ereignisse nach, die die Gruppe diskutierte, und werde davon verfolgt, und ich erinnere mich, wie mich der Gedanke entsetzte, dass Tsitsi mich auffordern würde zu sprechen. Ich bin überzeugt, dass ich nichts hätte sagen können.

3

Mehrere Male am Tag lasen wir Entwürfe unserer Geschichten laut vor. Die Gruppe dachte über den Wortlaut nach. Wir stellten den Verfasser*innen und uns gegenseitig Fragen. Konnte es wirklich so sein?, fragten wir uns. Jemand von uns war in

Haft gewesen und gefoltert worden; alle verstanden, was Gewalt bedeutete. Wir tauchten ein in Geschichten, schöne und schreckliche Geschichten, Geschichten von Großeltern, Brüdern, Schwester, Freunden, Geschichten aus unserer eigenen Kindheit. Das Wissen im Raum reichte tief. Wir entdeckten Gemeinsamkeiten und auch Meinungsverschiedenheiten. Marechera schrieb:»Das Leben der kleinen Leute ist wie ein Spinnennetz; es hängen winzige Skelette der Größe darin.« Wir suchten nach den unmerklichen Details im individuellen Leben; wir schauten uns an, was einzelne Menschen geworden waren und was sie hätten werden können. Wir waren auf der Suche nach der Fülle der Menschheit, gleichgültig, wie schwer es fiel hinzusehen.

4

Briefe aus ganz Simbabwe. In den Schreiben ist jede Form des Ausdrucks zu hören: Schreie, Geflüster, Weinen. Manche Stimmen sind sachlich, andere stehen noch unter Schock. Viele stellen unbeantwortbare Fragen. Das Haus eines Mannes wird niedergebrannt. Die Tochter mit Trisomie 21 wird vom Sohn eines einflussreichen Mannes vergewaltigt. Eine zweiundzwanzigjährige Frau wird regelmäßig von dem Mann geschlagen, den sie liebt. Eine Mutter sagt:»Er schlug mit dem Ziegelstein auf meine Tochter ein, bis sie tot war.« Ihr erschütternder Brief ist nur zehn Zeilen lang.

Brief 41:»Sie sagen, ich soll zu meinem Vater und meiner Mutter gehen, damit sie mir etwas zu essen geben. Aber ich weiß nicht, wo mein Vater und meine Mutter sind, denn sie sind tot. Also bleibe ich bei meinem Hunger.«

Wir lasen und lasen noch einmal. Die Fantasie wird nie ausreichen, aber wir versuchen dennoch, es uns vorzustellen.

Zu Beginn des Workshops bringe ich *Spiegel der Abwesenheit* des syrischen Dichters Faraj Bayrakdar mit.»Ich habe gesagt: Du mein Ebenbild,/ sei Wasser oder Stein,/ ein mit Fata Morgana benetzter Sand,/ ein Grün bis es schmerzt,/ Vogel mit zögernden Flügeln/ oder ein Stück Himmel,/ der so verzweifelt ist,/ dass er nicht kleiner werden kann!/ Aber sei,/ sei kein Nichts.«

5

Wie sollte eine Gruppe von zehn Schriftsteller*innen als Bürger*innen von Simbabwe und als Künstler*innen – aber als Fremde für die Briefschreiber*innen – nehmen, was ihnen gegeben worden war, und es klug nutzen?

6

Überhaupt zu sprechen, ist ein unermessliches Risiko. Die Sprache eines anderen mit der eigenen Sprache zu kontern, ist ein Akt der Verwegenheit. In einer gespaltenen Gesellschaft zu sprechen, Dinge zu beschreiben, die die Gesellschaft lieber begraben möchte, ist beängstigend.

Die Geschichte von jemand anderem zu erzählen, diese höchst persönlichen Briefe zu nehmen und sie als Literatur neu zu imaginieren – auch das ist belastend. In seiner Rede zur Verleihung des Nobelpreises argumentiert Orhan Pamuk, dass ein Schriftsteller »die Kunstfertigkeit besitzen muss, die eigenen Geschichten zu erzählen, als wären es die Geschichten anderer Leute, und die Geschichten anderer Leute, als wären es die eigenen, denn das ist Literatur«.

»Ich stoße die Jungen herum, betone jedes Wort mit einem Schlag ins Gesicht. Der Schmerz hätte meiner sein können. Das Geheimnis liegt in dem Wissen«, dass er es nicht ist«, schreibt Charmaine R. Mujeri in *Die Hunde des Kriegs*. Yandani Mlilo meint: »Ihr unbewusstes Lachen war voller Schmerz.« In Karen Mukwasis *Vor der Dämmerung* kümmert sich eine Ärztin um eine Frau namens Ruth: »Ihre Freundlichkeit erreichte die andere Ruth auf eine Weise, wie es die Folter nicht getan hatte.«

Gewalt durchzieht diese Seiten wie die Nähte und Flicken in Marecheras *Haus des Hungers*. Ich gebe zu, dass ich die Erzählungen immer wieder beiseitelegte. Die Schriftsteller*innen in unserem Workshop – Elizabeth R. S. Muchemwa, Yandani Mlilo, Karen Mukwasi, Charmaine R. Mujeri, Moses Semwayo, Kudakwashe Chisango, Tsitsi Dangarembga und Ignatius Tirivangani Mabasa – bemerkten eine Spirale, die einen Gewaltakt mit einem anderen verband, Akte, die die Täter im Sinne der Gerechtigkeit nicht nur für unvermeidbar, sondern für notwendig hielten. Die Geschichten in *Die Schwere des Seins* sind entschlossen, diese Spirale zu stören, indem sie die Welt durch die Augen der Täter betrachten, indem sie eingestehen, dass wir alle zu allem fähig sind.

Wenn Gewalt vorherrscht, wie kann sich dann eine denkende, fühlende Person davon abwenden? Werden die, die auf Gewalt zurückgreifen, nicht immer im Vorteil sein gegenüber denen, die sich dafür entscheiden, »nichts zu tun«? In ihrer Geschichte »Tanz mit Gestern« bahnt sich Elizabeth schreibend einen Weg durch dieses Dilemma: »Ein Freund hat mir einmal erzählt, dass Rache süß schmeckt, bevor sie verübt wird, doch einen bitteren Nachgeschmack hinterlässt. Rache mag bittersüß sein, aber sie ist stets magisch. Ich sage, dir ist Unrecht geschehen, füge auch du Unrecht zu. Punkt.« Die Geschichten blicken tief in die Funktionsweise von Gesellschaft und vernachlässigen, wie wir sie uns wünschen. Um das Warum zu verstehen, müssen wir zuerst das Wie verstehen – wirklich verstehen.

Echte Veränderung ist ein Rätsel. Sie erfordert Mut und Intelligenz vom Einzelnen, aber nicht einmal das ist genug. Letztlich erfordert echte Veränderung Mut und Intelligenz des Kollektivs.

7
An einem Morgen untersagte uns das Personal der spanischen Botschaft, die rückwärtige Tür zu öffnen – was uns Durchzug

ermöglicht hätte. Ich war sehr verärgert. Wenn wir gezwungen waren, diese Tür zu schließen, wie es die Mitarbeiterin der Botschaft verlangte, würde die Luft im Raum stehen und die Hitze unerträglich werden. Sie verschloss die Tür, aber kaum war sie gegangen, schloss ich sie wieder auf und öffnete sie. Wir brauchten zwei Fenster, nicht eins. Wir brauchten zwei, damit Licht, Wind und Geräusche herein- und auch hinauskonnten.

8

Am Abend, bevor ich Simbabwe verließ und nach Kanada zurückflog, interviewte ich Tsitsi auf ihrem Balkon unter dem nächtlichen Himmel.

Maddie: Im dritten Buch deiner Trilogie ist die weiße Vorherrschaft beendet, Simbabwe ist ein neues Land, aber der Krieg hat sich nach innen verlagert. Tambudzai bricht zusammen, aber kurz davor heißt es: »Du weißt, dass sie nichts über Biologie wissen wollen ... in diesem Fall erhalten deine Schülerinnen eine Lektion in Gewalt.«

Tsitsi: Wirklich? So habe ich es geschrieben?

Maddie: In Über*leben*.

Tsitsi: Ich glaube, dass es für die Leute schwierig war, *Verleugnen* zu lesen, aber Über*leben* wird wirklich schwierig, weil ich von den Lesenden verlange, gewisse Verbindungen herzustellen. Ich bin überzeugt, dass wir diese Art von Narrativ brauchen, das Fragen aufwirft und dabei hilft, dich ein paar Schritte weiterzubringen. Das war auch die grundlegende Idee des Workshops, das Schweigen zu brechen. Alle diese Geschichten von Gewalt: Nehmen wir sie einfach so hin? Stellen wir keine Verbindungen her, weil das einfacher ist? Was können wir da tun? Deswegen war für mich das Ende des Workshops so emotional. Es war wirklich ein ganz besonderer Moment, als diese acht Personen, neben dir und mir, im Raum waren. Und das Gefühl zu haben, dass wir alle die Bedeutung, die Notwendigkeit verstanden haben.

9
Während der zehn Tage des Workshops und der Monate danach versuchte ich, meinen eigenen Beitrag zu *Die Schwere des Seins* fertigzustellen. Aber gleichgültig, was ich tat, ich konnte nicht über Simbabwe auf die Weise schreiben, wie ich es mir wünschte – mit der Vertrautheit und der Wahrhaftigkeit, die auf intimen Kenntnissen eines Orts beruhen. Etwas zu sehen braucht lange, und hier in Harare war ich mir akut bewusst, dass ich vieles nicht sehen konnte; das heißt, ich wusste nicht einmal, was ich nicht wusste. Diese Unkenntnis kann zu außergewöhnlichen Flügen der Fantasie führen oder aber zu unangemessener Inbesitznahme. Deswegen gibt es hier keine Geschichte von mir; sie hätte nicht zu den Werken gepasst, die sich so eindrucksvoll und präzise einen Weg durch die Vergangenheit und die Gegenwart meißeln, sodass wir die Bedingungen sehen können, unter denen wir jetzt leben.

Wir bekamen sechzig Briefe. Die Verfasser*innen lebten darin und internalisierten sie, und jetzt will *Die Schwere des Seins* sie zu den Gemeinschaften zurückbringen, aus denen sie stammen. Das ist eine weitere Spirale, eine Spirale, mit der unser Wissen, unsere Fragen und unsere möglichen Antworten von Person zu Person weitergegeben werden.

Elizabeth schreibt in ihrer Erzählung: »Etwas stimmt nicht mit der Größe des Raums. Sie verändert sich – wie diese Männer sich auf so vielfältige Weise verändern. Deswegen können sie in diesem Zimmer stehen, so nahe bei mir, ohne zu bemerken, was ich halte. Warum sie so nah sind, aber uns doch nicht berühren können. Das ist der Grund, warum wir sie nicht zurückhalten können, warum wir sie nicht daran hindern können, Schmerz zuzufügen.« Auch Marechera schreibt über den Krieg, der internalisiert wurde. »Der Raum hatte meine Gedanken übernommen«, sagt er in *Das Haus des Hungers*. »Mein Hunger war zu dem Raum geworden. Wohin ich auch ging, herrschte eine dichte Dunkelheit. Es war ein Gefängnis – und die Gedanken wurden langsam zu dem Raum. Und der Raum – Decke, Boden, Mauern – wurde von anderen Räumen umschlossen.«

Während ich die Arbeiten der simbabwischen Autor*innen lese und noch einmal lese, beeindruckt mich: *der hartnäckige Versuch zu erfahren, was man noch nicht weiß*. Es gut auszudrücken. Es klar und zugleich menschlich zu machen, die Umrisse des Raums zu erkennen, damit wir die Mauern einreißen und den Raum öffnen können.

10

Wie eine Landkarte ist eine Geschichte eine Möglichkeit, unsere Sichtweise auf die Welt radikal zu verändern.

Ein Narrativ lässt die Zeit kollabieren und ist letztlich eine völlig andere Weise, etwas zu sehen. In einer Geschichte muss ein Satz auf den anderen folgen wie eine einzige Aufnahme, die vom ersten bis zum letzten Wort geht. Wir lernen die Gedanken einer anderen Person durch die Sprache einer anderen Person kennen. Das Geschichtenerzählen ist eine dringliche Kunstform, und es ist eine Kunstform, die wir brauchen, weil wir von dem Wunsch getrieben sind, die Geschichte zu verstehen, in die wir hineingeboren werden, und die sinnlichen Dimensionen, die uns eigen sind, die flüchtigen Erinnerungen, Gedanken und Gefühle, die mit unserem Körper verschwinden, wenn wir diese Welt verlassen.

Wie zwei Türen gestattet ein Narrativ den Lesenden, zu kommen und zu gehen.

Wohin zu gehen? Was mitzunehmen?

Nur die Lesenden können das sagen, aber ich glaube, dass niemand von diesen Geschichten ungerührt und unberührt bleiben kann. *Die Schwere des Seins* ist ein Zeugnis des Engagements, der Kunstfertigkeit, der Gewandtheit und Kraft dieser Autor*innen. Es ist wahrhaftig ein Buch der Unruhe.

Madeleine Thien
August 2014

Ziegen

Ignatius Tirivangani Mabasa

Meine Ziegen brachen aus und fraßen die Maisernte meines Nachbarn. Ich hatte meine Ziegen nicht damit beauftragt, und ich wollte nicht, dass sie es taten, insbesondere weil es dieser Tage regnet, als würde eine Heuschrecke spucken. *Nzara yapfunya chisero muno mumusha.* Der Hunger hat den Worfelkorb in meiner Hütte verschlungen, und jedes Korn zählt.

Es wurde dunkel, und nach einem langen Tag, an dem die Kinder vor Hunger geweint und alle nach Essen gesucht hatten, bereitete sich das Dorf auf den Schlaf vor. Kühe, Ziegen und Hühner machten es sich in ihren Pferchen bequem. Meine Katze putzte sich und interpunktierte das Spiel, das meine Enkel spielten, mit bettelndem Miauen. Es war eine dürre Katze mit warmen grünen Augen. In diesem Jahr der Trockenheit schienen sogar die Mäuse davongerannt zu sein. Infolgedessen hatten die Katzen nichts, um die mageren Mahlzeiten aufzubessern, die sie von ihren Besitzern bekamen.

Ich kochte auf einem feuchten und heftig rauchenden Feuer das Abendessen für meine zwei Enkel. Meine Finger schmerzten, als sie sich um den hölzernen Kochlöffel wanden. Dieser Tage haben meine Muskeln die Gewohnheit, sich zu verkrampfen, und ich schlafe nicht gut. Mein Körper widersetzt sich dem Hinlegen.

Rauch von dem feuchten Feuer brannte mir in den Augen und erschwerte mir das Atmen. Ich kämpfte gegen zu viele Dinge – gegen das nasse Feuerholz, brennende Augen, die rauchige Luft und den wässrigen Schleim, der mir hartnäckig auf die Oberlippe lief. Doch zuinnerst war ich stolz auf mich und zufrieden. Nicht viele Großmütter in diesem Dorf können ihren Enkeln wie ich zwei Mahlzeiten am Tag bieten. Nasses Feuerholz und schmerzende Muskeln würden mich nicht davon abhalten, meine Pflicht zu erfüllen.

Meine Enkel sangen das Rauchlied:
Rauch, Rauch, verzieh dich,
Meine Großmutter hat mich großgezogen!
Rauch, Rauch, verzieh dich,
Meine Großmutter hat mich großgezogen!

Ja, Kinder, die bei ihrer Großmutter aufwachsen, bekommen immer das Beste! Ich blies gerade ins Feuer, als Mubaiwa in meine raucherfüllte Hütte schoss wie ein Blitz. Er platzte in dem Augenblick in meine Hütte, als auch das Feuer zum Leben erwachte. Meine Enkel klatschten hocherfreut über das Feuer, hörten jedoch schnell wieder auf, um Mubaiwa zu begrüßen, der grunzend wie ein Schwein dastand.

»*Manheru!* Guten Abend, Großvater von Anna!«, sagten meine Enkel und klatschten asynchron wie platzende Maiskörner in die Hände.

Mubaiwa erwiderte nichts. Ich glaube, er bemerkte die Kinder gar nicht. In seinen Augen brannte ein Feuer. Er knurrte und spuckte einen Klumpen Schleim und Hass aus, der mit einem dumpfen Platschen in meinem Gesicht landete. Der widerliche stinkende Schleim lief langsam über das linke Auge zu meiner Nase. Ich hätte mich fast übergeben, bevor ich ihn mit meinem *doek* wegwischte. Ich verstand nicht, was passierte.

Noch während ich mich sammelte und um Fassung bemühte, schrie Mubaiwa, als würde er marodierende Paviane aus einem Maisfeld verjagen: »Hexe, heute gehe ich hier nicht weg, bis du mich umgebracht hast! Du hast deine Ziegen losgeschickt, damit sie meine Maisernte fressen und meine Familie verhungert. Du musst mich auch umbringen! Behaupten nicht alle im Dorf, dass du ein Mann bist? Du kannst dich selbst versorgen, und wie ich sehe, kochst du sogar ein Abendessen, wenn alle anderen im Dorf hungern!«

Die Sprache. Der Zorn. Die Abruptheit von alldem lähmte mich. Es schauderte mich kalt am ganzen Körper. Ich war verwirrt. Mit einer fremden krächzenden Stimme schickte ich meine Enkel aus der Hütte. Arme kleine Kinder! Auch sie waren erschrocken und betäubt von Angst. Ihre winzigen Gesichter waren lang und schlaff geworden wie ein von tropfendem Wachs verunstalteter Kerzenständer. Sie stolperten hinaus. Ich hörte sie draußen weinen. Auch die Katze hatte Angst, knurrte laut und sträubte das Fell, bevor sie ins Freie flüchtete.

Als meine Enkel draußen in Sicherheit waren, öffnete ich den Mund, aber es kamen keine Worte heraus. Instinktiv ging ich vor ihm auf die Knie und klatschte in die Hände. Ich wollte sagen, dass es mir leidtäte, aber er trat mit dem Fuß nach meinen Händen, und sie flogen auseinander wie erschrockene Tauben. Der Schmerz in meinen Fingern war schlimmer als damals, als ich sie aus Versehen mit heißem Wasser verbrüht hatte. Ich geriet in Panik. Etwas in meinem Herzen sagte mir, dass mich der Mann umbringen wollte.

Ich entschuldigte mich, gebrauchte dabei sein Totem und sagte, dass ich seinen Verlust erstatten wolle. Er grinste höhnisch und erwiderte:»Du Hexe, hast du deswegen deine Ziegen meine Ernte fressen lassen? Damit alle Welt erfährt, dass du dir mühelos einen Ausweg aus so einer Lage erkaufen kannst? Ja, bezahle mich, aber heute wirst du mir auch sagen, warum ein Hund zwar grinsen, aber nicht lachen kann!«

Er hob die Hand, um mich zu schlagen, und ich schrie. Das machte ihn noch tollwütiger. Er überraschte mich mit einem bösen Tritt ins Gesicht, der meine Unterlippe spaltete. Schmerz malte mit meinem Blut ein Bild auf den Boden. Ich fiel um, und Dunkelheit überwältigte mich.

Ich konnte nicht glauben, dass es bei alldem nur um die Ziegen ging. Ich stand langsam wieder auf. Als ich saures Blut ausspuckte, spuckte ich auch einen Zahn aus. Ich rechnete mit einem weiteren gemeinen Tritt, deswegen schützte ich meinen Kopf mit den Armen. Ich bat ihn, mich nicht mehr zu schlagen. Ich bat ihn, mich zum Chief oder zur Polizei zu bringen. Er lachte und sagte: »Ich will auf meine Weise Gerechtigkeit. Behaupten nicht alle, dass du was Besseres wärst als ich! Du bist eine Frau, die sich selbst versorgen kann. Zeig mir, woraus du bestehst.«

Er stieß mich zu Boden und entblößte dabei meine Oberschenkel und meine Unterwäsche. Ich versuchte, meine Scham zu bedecken, aber er trat meine Hände beiseite. Er stieß ein kaltes Lachen aus und sagte: »Du bist also doch eine Frau, was? Steh auf, wenn du ein Mann bist! Du solltest wissen, dass wahre Männer stehen bleiben.«

Seine Worte schnitten meine Seele in dünne Streifen. Als er meine Unterwäsche sah, wurde er aufgeregt, und ich fürchtete, dass er mich vergewaltigen würde. Stattdessen schlug er mich mit der bloßen Hand auf den Hintern, als würde er eins seiner Enkelkinder versohlen. Er berührte mich, wo mich kein Mann, der nicht mein toter Mann ist, berühren sollte.

Dann hielt er plötzlich inne und schaute sich in meiner Küche um. Sein Blick fiel auf meine Katze, die vermutlich zurückgekommen war, um nach dem Abendessen zu sehen. Er griff rasch nach ihr wie nach einem Lumpen und schleuderte sie an die Wand. Ich sah entsetzt zu, wie sie auf die Mauer zuflog wie ein vom Wind gepeitschter Maisstängel. Dann traf sie auf die Mauer und stieß einen lauten Schmerzensschrei aus, bevor sie auf den Boden fiel wie ein leerer Sack. Sie blutete aus Maul und Nase und starb sofort. Mittlerweile war es dunkel, und mein Feuer war erloschen.

Als die anderen Dorfbewohner eintrafen, pisste er auf mich, und ich wollte nur noch, dass er mich umbrachte. Sein warmer, stinkender Urin zischte zornig und zielte auf meinen Kopf. Und ich weiß, dass das nichts mit den Ziegen zu tun hatte. Etwas in mir verrottete, und ich kann den Gestank noch immer riechen. Als sie ihn fesselten und fortbrachten, wehrte er sich mit aller Kraft und fluchte.

Meine Tochter, die im nächsten Dorf verheiratet ist, kam, um mir zu helfen. Sie und die anderen Dorfbewohner wollten, dass ich zur Polizei ging und es meldete, aber ich konnte nicht. Ich lag drei Tage im Bett. Ich glaube, es war mehr mein Blutdruck und nicht der Angriff, der mich krank machte. Ich habe Angst vor Mubaiwa und vor meinen Ziegen. Ich kann nicht schlafen. Ich kann nichts essen. Und am schlimmsten ist, dass ich mich schuldig fühle. Meine Ziegen haben Mubaiwas Ernte gefressen. Er nahm gern den Sack Mais, den ich ihm zum Ausgleich anbot, doch er sagte, dass er noch nicht mit mir fertig sei.

Ich frage mich, was Mubaiwa als Nächstes tun wird. Die Leute sagen, ich solle zum Chief oder zur Polizei gehen und ihn anzeigen, aber ich kann nicht. Ich habe Mubaiwa geschadet, und er ist ein Mann und ich nicht. Der Chief ist ein Mann und ich nicht. Die Polizisten sind Männer und ich nicht. Ich welcher Sprache soll ich ihnen erklären, was er mir angetan hat? Ich will Gerechtigkeit, aber ich habe Angst. Ich habe Angst vor allem, weil ich glaube, dass es bei dem, was Mubaiwa mir angetan hat, nicht nur um meine Ziegen ging. Hat er schließlich nicht gesagt: »wahre Männer bleiben stehen«? Was ist mit den Frauen? Gott steh uns allen bei.

Familienporträt

Yandani Mlilo

Im Raum war es dunkel. Sie zündete eine Kerze an, die einen schwachen Lichtschein warf. In den Schatten erkannte sie nur Formen. Der Mond draußen war voll und schimmerte blass durch die dünnen Vorhänge. Ein Paraffin-Herd stand auf einem kleinen Tisch unterhalb des Vorhangs. An der Wand neben dem Tisch befanden sich eine Metallschüssel mit nicht gespülten Töpfen und Tellern, ein Eimer mit Wasser und eine kleine Bank. Sie lag auf einer Matratze, und an der Wand gegenüber stand so etwas wie ein Kleiderschrank.

Sie blickte nach links, wo ihre drei Kinder schliefen. Langsam und leise stand sie auf, um sie nicht zu wecken. Ihr Bein gab nach. Sie biss die Zähne zusammen und humpelte zum Schrank. Die beiden Schranktüren und ein paar Regalbretter fehlten, und die verbliebenen hielten kaum noch. Sie nahm einen Behälter aus einem Fach, steckte die Hand hinein und tastete nach den Schmerztabletten. Ihre Finger berührten Münzen, Knöpfe, Papierzettel, aber keine Tabletten. Ein paar Momente lang kramte sie hektisch in dem Behälter. Schließlich ging sie damit zum Tisch, wo sie besser sehen konnte. In dem matten Licht leerte sie den Inhalt des Behälters auf die hölzerne Tischplatte. Münzen klimperten, Papier raschelte, aber es fielen keine Schmerztabletten heraus. Rasch suchte sie zwischen den Zetteln in der Hoffnung, dass eine oder zwei Tabletten darin versteckt waren. Ein kleines Stück steifes Papier fiel zu Boden. Es war ein Foto von der Größe eines Passfotos. Sie wusste sofort, wer es war. Sie hob es nicht auf. Stattdessen füllten sich ihre Augen mit Tränen. Sie wurde wütend auf sich, weil sie weinte, was ihre Notlage nur noch vergrößerte. Marcy kniff die Augen zusammen und spürte, wie die zurückgehaltenen Tränen brannten. Sie versuchte vergeblich, ein Schluchzen zu unterdrücken. Die Kinder rührten sich. Sie streckte die Hand aus und streichelte sie. Schnell beruhigten sie sich und atmeten wieder gleichmäßig. Eine Welle der Erinnerungen überwältigte sie, tausend Bilder, und sie wusste nicht, wie sie sich ihnen stellen sollte. Sie stieß ein Lachen aus, das schmerzlich klang. Ihre Hände wurden taub und feucht. Hitze wallte in ihr auf. Auf ihrer Stirn und am Ende ihres Rückgrats bildete sich Schweiß.

Nein. Geh weg. Lass mich in Ruhe.

Ihr Ex-Mann übte noch immer zu große Macht über sie aus. Obwohl das Foto mit dem Gesicht nach unten auf dem Boden lag, meinte sie, seine Stimme zu hören. Sie schüttelte heftig den Kopf in dem Versuch, die Bilder loszuwerden, doch die Erinnerungen klammerten sich an ihr fest, verursachten noch mehr Schmerzen und drangen tiefer. Sie fuhr sich mit den Fingern durchs Haar, zerrte so stark daran, dass die Kopfhaut wehtat. Sie schaukelte vor und zurück, unfähig, den Weg zurück in die Gegenwart, das Schlafzimmer, zu den Kindern zu finden.

Ohne mich bist du nichts, hörst du, NICHTS!

Er lallt, und seine große Gestalt ragt vor ihr auf. Marcy hört seinen schweren Atem, der stark nach Alkohol riecht. In der linken Hand hält Frank eine braune Bierflasche, und in seiner rechten baumelt ein Gürtel. Er steht mit weit gespreizten Beinen fest da, sein Körper ist angespannt. Er schwankt vor und zurück, um das Gleichgewicht zu halten, hebt die braune Flasche an den Mund, legt den Kopf zurück und schluckt. Dann stößt er einen zufriedenen Seufzer aus und blickt gierig, nahezu liebevoll auf die Flasche.

Gestärkt von dem Bier, starrt er Marcy an. Seine Miene verdunkelt sich, als wäre eine Wolke über ihn gezogen. Marcy hat es schon oft gesehen. Ihr Herz schlägt schneller. Frank hebt die rechte Hand, steckt alle seine Kraft und Energie in den Gürtel. Sie steht bereits an der Wand, drückt sich dagegen, betet, dass die Wand sie verschlucken möge. Der Gürtel trifft sie. Ein dunkler Striemen schwillt auf ihrer Haut an, und ihr Fleisch brennt vor Schmerz. Sie will schreien, aber sie will Frank die Befriedigung nicht geben. Er schlägt weiter mit dem Gürtel zu. Sie gleitet zu Boden. Als er sieht, dass sie nahezu ohnmächtig ist, hört er auf.

Ungeschickt hebt er die Flasche an den Mund, als wollte er sich vergewissern. Nur noch ein Tropfen fällt heraus. Er reißt verärgert die Augen auf.

»Ohne mich bist du nichts, hörst du, NICHTS!«, schreit er.

Er wirft die Flasche gegen die Wand. Marcy erschrickt, aber sie ist zu schwach, um zu reagieren. Scherben fallen auf ihre Arme und in ihr Haar. Er spuckt ihr ins Gesicht und geht.

Die drei Kinder sind wach, doch als Frank die Tür zu ihrem Schlafzimmer aufstößt, geben sie vor zu schlafen. Sie liegen in einem einzigen Bett aus Decken auf dem Boden. Mit vier ist Tari die Jüngste und tut ihr Bestes, um wie ihre älteren Brüder Schlaf vorzutäuschen, doch sie hat einen Schluckauf und schnieft. Obwohl die Nacht warm ist, zittert sie unter der Decke. Im Zimmer riecht es nach Schimmel und Urin. In einer Ecke steht ein schäbiger Schrank, davor liegt ein Haufen schmutziger Wäsche. An den Wänden blättert die Farbe ab. Zeichnungen, die die Kinder in der Schule gemacht haben, sind auf die nackten Stellen geklebt.

Frank scheint entweder nicht zu wissen, was er tut, oder es ist ihm gleichgültig. Er packt die Decke und zieht sie von den drei kleinen Körpern. Ihre Arme und Beine sind mit blauen Flecken überzogen. Victors Wunden sind die schlimmsten. Auf seiner Stirn ist eine Beule von den Schlägen vom Vortag. Frank steht vor ihnen, den Gürtel in der Hand. Tari schreit, ruft nach ihrer Mutter. Sie drückt den alten Teddybär an die Brust, als wollte sie sich damit vor der Wut des Mannes schützen. Die Zwillinge, Victor und Kundai, starren Frank in panischer Angst an.

Als Frank den Gürtel hebt, drücken sich die Kinder an den Kleiderschrank und umklammern sich. Sie sehen nicht, wie der Gürtel niedersaust, weil sie die Augen zukneifen und warten. Als der Gürtel trifft, bricht der kleine Knoten aus Körpern auseinander. Die Kinder rennen in alle Richtungen.

Frank verflucht die Jungen und schlägt mit dem Gürtel auf ihre nackte Haut. Victor und Kundai flehen um Gnade. Im Wohnzimmer zieht sich Marcy auf die Knie und kriecht zum Schlafzimmer der Kinder. Sie schaut hinein, wagt sich jedoch nicht ins Zimmer. Tari steht in einer Ecke, als versuchte sie, mit der Wand zu verschmelzen. Die Zwillinge haben sich zu festen kleinen Bällen zusammengerollt. Ihre Augen starren zwischen den Fingern hindurch wie die Augen zweier Mäuse in der Falle. Frank geht durchs Zimmer mit dem Gang einer großen wilden Katze. Er hebt den Arm und schlägt wieder und wieder zu. Marcy ruft den Namen ihres Mannes und bittet ihn aufzuhören. Schließlich nähert sie sich ihm und streckt die Hand aus. Frank stößt sie zurück zur Tür. Marcys Kopf prallt gegen die abgebrochene Türklinke aus Eisen, und sie bricht auf dem Boden zusammen. Frank rechnet damit, dass sie sich wieder aufrappelt und erneut zu ihm kriecht. Er ist bereit für sie. Den Arm hoch über den Kopf erhoben wie ein Denkmal, wartet er auf sie. Doch Marcy bleibt auf dem Boden liegen. Als er mit dem Gürtel auf sie zielt, erstarrt er.

Marcy hustet und würgt in einer Lache ihres eigenen Bluts. Das bricht den Bann. Die Verbindung zwischen Franks Wut und seinem Arm mit dem Gürtel, der seine Wut an anderen Körpern auslässt, reißt. Entsetzen macht sich auf seinem Gesicht breit. Nie zuvor hat er Marcy so bluten sehen. Er versteht nicht, wie sie noch atmen und leben kann, wenn sie so sehr blutet. Vage erinnert er sich an den Faustschlag in ihr Gesicht, als er seinen Gürtel geöffnet und herausgezogen hat. Er erinnert sich an die

Schläge, die er ihr versetzt hat, um ihr eine Lektion zu erteilen. Jetzt sieht er, dass Marcy schwer verletzt ist, aber er versteht nicht, was falsch daran ist, ihr eine Lektion zu erteilen. Er hatte sie auf der Sherwood Farm in den Midlands kennengelernt. Damals arbeitete er in der Stadt als Sicherheitswachmann und kehrte nicht gern auf die Sherwood Farm zurück. Es war nicht mehr als eine Zuflucht, eine Art Waisenhaus gewesen, in dem er nach dem Tod seiner Mutter seine Kindheit verbracht hatte. Seine Tante hatte versucht, ihm eine Mutter zu sein, aber die Farm hatte sie erschöpft, so wie die Sonne der Erde die Feuchtigkeit entzieht. Als er mit der Schule fertig war, fand er Arbeit bei einem Sicherheitsdienst in der Stadt und entkam so der sinnlosen Arbeit, der Ernte, die in der Scheune eines anderen Mannes landete. Er kehrte nur einmal im Monat auf die Farm zurück aus Pflichtgefühl der Frau gegenüber, die ihn großgezogen hatte. Jedes Mal packte er Grundnahrungsmittel – Zucker, Maismehl, Tee und Öl – in eine große Tasche, damit seine Tante nicht ihren freien Tag und Geld verschwenden musste, um in die Stadt zu fahren.

Nach einem Wochenende bei seiner Tante sah er auf dem Weg zur Bushaltestelle, wie Marcy im Gehölz neben der Straße einen Ast von einem toten Baum abriss und dann über ihrer Wade zerbrach. Sogar von der Straße aus bemerkte er, wie ihre großen braunen Augen sanft schimmerten und wie sie lächelte, als sie aufblickte und ihn dabei ertappte, wie er sie anschaute. Er erinnerte sich oder bildete sich ein, sich zu erinnern, dass seine Mutter ihn so zärtlich angelächelt hatte.

Es war nicht einfach gewesen, ihre Aufmerksamkeit zu erregen. Aus den monatlichen Besuchen bei seiner Tante wurden wöchentliche. Anfänglich hoffte er, sie wieder beim Feuerholzsammeln zu treffen, und als das nicht geschah, erkundigte er sich bei seiner Tante nach ihr. So fand er heraus, wo sie wohnte. Von da an verbrachte er weniger Zeit in der Hütte seiner Tante.

Stattdessen ging er früh und sammelte Feuerholz, das er Marcy brachte. Schließlich begann sie zu lächeln und seine Hilfe zu schätzen. Frank brachte ihr auch Schokolade mit. Marcy weigerte sich jedoch, sie anzunehmen. Frank kaufte eine größere Schachtel in der Absicht, sie auf ihre Schwelle zu legen, so wie er es mit dem Feuerholz getan hatte. Als er jedoch an diesem Tag zu ihr kam, spielten zwei Zwillingsjungen im kleinen Hof. Die Ähnlichkeit mit Marcy war unübersehbar, und außerdem hatte Frank die Leute reden gehört. Er ging in die Hocke, stellte sich den Jungen als Freund ihrer Mutter vor und zeigte ihnen die Schokolade. Marcy, die vom Haus aus zusah, lächelte, als die Zwillinge den Kopf schüttelten. Frank blickte auf und bemerkte, dass sie ihnen durchs Fenster zuschaute. Marcy setzte sofort eine missbilligende Miene auf. Frank ignorierte sie und konzentrierte sich auf die Zwillinge, deren Gesichter ihr Verlangen widerspiegelten. Er hielt die Schachtel mit der Schokolade locker in der Hand. Auch die Jungen ignorierten nun ihre Mutter, da sie wussten, dass sie nur auf diese Weise zu Schokolade kommen würden. Die Silberfolie raschelte leise, als Frank die Tafel auspackte. Die zwei kleinen Jungen sahen ihm blinzelnd zu. Frank hielt ein Stück hoch. Sie öffneten leicht den Mund. Frank warf sich das Stück selbst in den Mund. Die Jungen pressten die Lippen zusammen. Frank kaute und schluckte die Schokolade. Die Jungen schluckten Speichel. Lachend brach er noch ein Stück ab und hielt es ihnen hin. Dieses Mal konnten die Zwillinge nicht widerstehen. Sie blickten kurz zu ihrer Mutter, griffen nach der Schokolade und schoben sie sich in den Mund. Marcy musste lachen. Auch Frank und die Jungen lachten.

An diesem Nachmittag saß Marcy mit Frank draußen auf der Treppe vor dem Haus. Bei seinem nächsten Besuch bot sie ihm Tee an. Die Zwillinge vergötterten ihn bereits, und zusammen sahen sie aus wie eine perfekte Familie. Marcy war bereits enttäuscht worden, zuerst von einem Mann, der seine Tochter mitnahm, als sie sich trennten, und dann vom Vater der Zwillinge, der nichts mit den Jungen zu tun haben wollte. Es dauerte Monate, bevor Frank Marcy davon überzeugen konnte, die Farm zu verlassen und zu ihm in die Zwei-Zimmer-Wohnung in der Stadt zu ziehen. Marcy erklärte Frank, dass sie die Jungen, Victor und Kundai, mitnehmen müsse. Frank machte es nichts aus. Für ihn waren die Jungen Teil der Frau, die er liebte. Er wollte sie bei sich haben, wo er sie lieben und von ihr geliebt werden konnte. Marcy war bereits schwanger mit ihrer gemeinsamen Tochter Tari, als sie umzog. Frank war im siebten Himmel vor Aufregung bei dem Gedanken an dieses neue Band zwischen ihnen und dass er für Tari der Vater sein könnte, den er nie gehabt hatte. Marcy dachte später oft, dass es für sie beide so wunderbar weitergegangen wäre, wie Frank und sie es sich vorgestellt hatten, wäre nicht der Raubüberfall an Franks Arbeitsplatz gewesen.

Er hatte in dieser Nacht Dienst. Normalerweise passierte nicht viel in seiner Schicht, deswegen rechnete er auch mit nichts. Es regnete heftig. In den Rinnsteinen vor den Autohäusern im Zentrum floss das Wasser. Im Regenmantel saß Frank in seiner Kabine und versuchte, das Leck im Dach zu meiden. Als der Regen nachließ, sah er einen dunklen Kombi, der ein paar Meter vom Eingang entfernt parkte. Er ging hinaus, um nachzusehen. Seine Ausbildung als Wachmann hatte vor allem in Marschieren und körperlicher Fitness bestanden. Er hatte einen Schlagstock dabei, wusste jedoch, dass der ihm gegen eine Bande Autodiebe wenig nutzen würde. Zwei Männer schienen mit einer Tür zu kämpfen. Frank ging zu ihnen, schwang dabei seinen Stock. Plötzlich traf ihn ein Schlag auf den Kopf. Er hörte, wie der Motor des Wagens ansprang und Reifen quietschten. Als der Wagen davonbrauste, verlor er das Bewusstsein.

Er lag schon lange auf dem Boden, manchmal wach, manchmal bewusstlos, bis ihn sein Vorgesetzter fand. Frank erklärte, was passiert war, und der Mann rief sofort die Chefs. Die Besitzer machten eine Bestandsaufnahme der Verluste. Nur ein Auto war verschwunden, aber wertvolle Teile, deren Ersatz ein kleines Vermögen kosten würde, waren von anderen Wagen abmontiert worden. Frank konnte die Männer nicht hören, aber er sah ihnen an, dass der Verlust beträchtlich war. Nach einer Weile kehrte sein Vorgesetzter zurück.

»Es ist vorbei, Frank.« Der Vorgesetzte runzelte die Stirn. »Hier gibt es keine Arbeit mehr für dich, und die Besitzer interessieren sich nicht für deine Geschichten.«

Frank, der heftige Kopfschmerzen hatte, wollte um Weiteranstellung bitten, doch der Vorgesetzte ließ ihn einfach stehen.

Frank begriff, dass sie glaubten, der Diebstahl ginge auf sein Konto, er habe irgendwie mit dem Überfall zu tun. Die Besitzer hielten sich für großzügig, weil sie ihn gehen ließen und nicht Anzeige erstatteten. Frank ging mit blutendem Kopf nach Hause, ohne Lohn und ohne Möglichkeit, sich behandeln zu lassen, weil er nicht krankenversichert war.

Als er am Morgen nach Hause kam, traute er sich nicht, Marcy zu erzählen, was passiert war. Sie beobachtete ihn wortlos, sah seine Verletzung und sagte nichts. Am nächsten Tag, als er nicht zur Arbeit ging, brachte sie es immer noch nicht über sich, etwas zu sagen. Auch Frank brach das Schweigen nicht. Während der ersten Woche verhielten sie sich, als wäre alles normal, als hätte Frank Urlaub. Auf der Wunde an seinem Kopf bildete sich Schorf, aber er ließ nicht zu, dass Marcy sie berührte. Als aus Tagen Wochen wurden, zog Marcy ihre eigenen Schlussfolgerungen. Nachdem sie Frank und den Kindern an einem Montagmorgen Frühstück gebracht hatte, verschwand sie.

Als sie gegen Abend zurückkam, fragte Frank sie nicht, wo sie gewesen war. Sie brachte ein Bündel Kohlblätter und eine kleine Tüte Tomaten für das Abendessen mit. Er wusste also, dass sie Geld in der Tasche hatte. Frank aß wortlos das Gericht, das Marcy zubereitet hatte. Marcy verstand, dass sich ihr Mann nicht bedanken konnte, und deutete Franks Akzeptanz des Essens als vielversprechendes Zeichen.

Am Abend, als sich Marcy ins Bett legte, sagte er: »Tu das nie wieder.«

Marcy bekam es mit der Angst und war müde. Sie wusste nicht, was sie sagen oder tun sollte. Frank zu erklären, dass sie beschlossen hatte, sich Gelegenheitsjobs zu suchen, bis er wieder Arbeit gefunden hätte, hätte ihm nur die Möglichkeit gegeben, es ihr zu verbieten.

»Gute Nacht«, sagte sie leise und beschloss, dass es am besten wäre, einen offenen Konflikt zu vermeiden, ihm abgesehen von der Arbeit in jeder Hinsicht so still und willig wie möglich zu gehorchen.

»Morgen bleibst du zu Hause«, sagte Frank. »Ohne meine Erlaubnis gehst du nirgendwohin.«

Sie nickte und lächelte ihn kokett an. Sie schmiegte sich eng an ihn und hoffte, damit wäre die Sache erledigt.

»Vergiss nicht, dass ich noch immer der Mann in diesem Haus bin«, sagte Frank etwas milder.

Marcy nickte und drückte sich an ihn. Sie sprachen nicht weiter darüber.

In den folgenden Tagen hoffte Marcy, dass Frank sie nicht nach dem Rest des Geldes fragen würde, das sie verdient hatte. Er tat es nicht, aber eine Woche später war nur noch Maismehl für einen Topf *sadza* im Sack. Marcy verschwand wieder. Es wurde dunkel, Marcy kam nicht nach Hause. Frank kochte mit dem letzten Maismehl für sich und die Kinder. Beim Essen kicherten die Kinder und flüsterten, dass Amai besser als Baba kochte. Unter normalen Umständen hätte Frank es lustig gefunden. Doch heute murmelte er verbittert und zornig vor sich hin, weil er gezwungen war, das Hausmädchen zu spielen.

Marcy kam mit dem Gefühl eines frischen Zehn-Dollar-Scheins in der Tasche und einem breiten Lächeln im Gesicht. In einer

Plastiktüte brachte sie ein kleines Stück Rindfleisch mit. Frank schmeckte die *sadza* an diesem Abend, aber den Gedanken, dass seine Frau, die er von den Feldern geholt hatte, ihm das Essen ermöglichte, indem sie arbeitete, ertrug er nicht. Er wusste, dass sie mit ihrer geringen Schulbildung nur Hausarbeit oder Arbeit auf der Straße machen konnte. Doch er vertraute Marcy genug, um sicher zu sein, dass sie sich nicht auf die Straße stellte, und sie ging ja auch am Morgen und kam abends zurück. Dennoch hasste er den Gedanken, dass seine Frau die Häuser von Männern putzte, die mehr Geld verdienten, als er je im Leben besessen hatte. Noch wütender wurde er bei dem Gedanken, dass Marcy die schmutzige Wäsche dieser Männer und ihrer Familien wusch. Er hasste die Scham, die er empfand, weil seine Frau arbeitete. In seinem Job hatte er nicht viel verdient, aber genug, um seine Familie zu ernähren. Er begann, sich Sorgen zu machen, wie Victor und Kundai ihn jetzt sahen. Obwohl er sich eingestand, dass Marcy es nur gut meinte, denn sie war noch immer die liebe Frau, die sie immer gewesen war, wurde seine Angst, von ihr bloßgestellt zu werden, immer größer, wenn sie morgens ging und abends mit Essen und besonderen Leckerbissen zurückkehrte.

»Wo warst du?«, fragte er, als sie eines Abends mit einer Überraschung zurückkam, einer vollen Schachtel mit Chicken Nuggets. Die Kinder hüpften um sie herum und konnten es gar nicht mehr erwarten zu essen.

»*Kozvaitasei?* Was ist los?«, sagte sie und lächelte unsicher. Dann holte sie eine Flasche Bier aus einer Papiertüte.

Marcy stellte die Flasche auf den Tisch und lächelte, als wäre alles gut. Als er sie kennenlernte, hatte ihr sanftes gutmütiges Lächeln auf ihre Schwäche hingedeutet, darauf, dass sie ihn brauchte. Jetzt war es wie ein süßes Gift, das langsam seine Macht unterminierte. Frank schlug vor Unmut mit der Faust gegen die Wand. Marcy gab den Kindern die Schachtel mit den Chicken Nuggets und schob sie aus dem Zimmer. Sie schloss die

Tür und wandte sich ihrem Mann zu. Ihr Herz schlug schneller. Das Lächeln auf ihrem Gesicht erstarrte.

»Versuch bloß nicht, mich zu schikanieren!«, schrie Frank. »Du glaubst, du könntest mich mit Chicken Nuggets kaufen? Hältst du mich für einen Dummkopf?«

Marcy sagte nichts. Sie verstand nicht, wie sich der Abend entwickelte. Sie überlegte, was sie getan haben könnte, um das zu verdienen. Nichts ergab einen Sinn.

»Läufst ständig herum und machst einen Narren aus mir!«, wütete Frank und näherte sich ihr. »Vergiss bloß nicht, dass ich dich gemacht habe. Ohne mich bist du nichts! Ich kann dich auch wieder vernichten. Wenn du mich nicht respektierst, wirst du es erleben!«

Frank packte Marcys Arm. Sie lächelte immer noch. Er zitterte am ganzen Körper, als ihm klar wurde, dass er ihr nicht wehtun konnte. Wütend auf sich und seine Schwäche, stieß er sie zu Boden.

»Es tut mir leid, Frank«, flüsterte sie, obwohl sie nicht wusste, was sie getan hatte. »Ich habe Arbeit bei einer Frau in Greendale gefunden. Als ich ihr meine Geschichte erzählt habe, hat sie auch ihre Freundinnen gefragt. Jetzt arbeite ich für alle. Ich gehe jeden Tag zu einer von ihnen und putze.«

Ohne zu antworten, nahm Frank die Bierflasche vom Tisch, stürmte hinaus und knallte die Haustür hinter sich zu.

Marcy ging in das Zimmer der Kinder, um sie zu trösten, kochte ihnen Essen und blieb bei ihnen, bis sie ruhig genug waren, um zu schlafen. Als sie sicher war, dass sie schliefen, versuchte auch sie zu schlafen, um am nächsten Morgen fit für die Arbeit zu sein. Sie fand keine Ruhe. Sie ging zurück in die Küche und wartete auf ihren Mann. Gegen Mitternacht kehrte er torkelnd zurück.

Frank aß das Essen, das sie ihm servierte, mit dem Hunger eines Betrunkenen. Er blickte immer wieder zu ihr und dachte daran, dass kein Essen im Haus gewesen war, schon gar nicht das Fleisch, das er gerade aß. Nachdem die Kinder gegessen hatten, hatte Marcy mehr Chili in den Topf getan. So mochte es Frank. Sie sah zu, wie Frank das duftende Curry kaute, das sie als Friedensangebot gekocht hatte, und hoffte, dass die Sache damit erledigt war.

»Wo warst du heute Nachmittag?«, fragte Frank, als sein Teller fast leer war. Er hielt ein Stück Fleisch zwischen den Fingern.

Marcy sah, dass Frank zu betrunken war für ein Gespräch, das neue Harmonie herstellen würde, und fühlte sich zu müde, um noch einmal zu lächeln. Sie stand auf, um ins Bett zu gehen. Frank wiederholte seine Frage lauter. Ein Gefühl der Verachtung für diesen Mann, der ihre Hilfe nicht annehmen wollte, erfüllte und überraschte Marcy. Sie schob das ungewohnte Gefühl beiseite und zog sich wortlos hinter den Vorhang zurück, der ihren Schlafbereich abtrennte.

»Hältst du mich für dumm?«, knurrte Frank. »Antworte mir, wenn ich mit dir spreche!«

Er stand auf und torkelte zu ihr. Marcy war hinter dem Vorhang stehen geblieben, den Kopf gesenkt, um ihm Respekt zu erweisen.

»Schau mich an, wenn ich mit dir spreche«, sagte Frank.

Langsam hob Marcy den Kopf. Jetzt konnte sie nicht lächeln. Ebenso wenig konnte sie einen Schritt nach vorn machen, um ihn mit einer sanften Berührung zu beschwichtigen. Sie sah Frank ausdruckslos an. Er suchte nach Angst in ihren Augen, fand keine und schlug so fest zu, dass seine Hand schmerzhaft brannte. Ein Lächeln breitete sich auf seinem Gesicht aus. Er schlug sie wieder und wieder, bis ihm die Handflächen und Finger wehtaten. Das Lächeln wurde zu einem breiten Strahlen. Er zog seinen Gürtel aus. Marcy schrie und bat ihn aufzuhören, doch ihre Schreie trieben ihn nur weiter an.

»Wenn ich nicht wäre, würdest du Dreck in Sherwood essen«, keuchte Frank bei jedem Schlag.

Frank schlug seine Frau, bis sie keinen Laut mehr von sich gab. Dann stolperte er erschöpft und zufrieden zur Matratze auf dem Boden, warf sich darauf und schlief sofort ein. Als er am Morgen erwachte, hatte Marcy bereits das Frühstück gemacht. Die Kinder murmelten ein gestammeltes Guten Morgen, als er den Vorhang beiseiteschob, in die Küche kam, sofort wegging und Anspannung und Angst hinterließ. Marcys Gesicht war geschwollen und mit blauen Flecken übersät. Unter ihren Augen waren dunkle Flecken. Ihre Unterlippe war dick und gesprungen. Als er sie sah, schämte sich Frank und bereute, was er getan hatte. Woraufhin er sich nicht mehr so mächtig wie am Abend zuvor fühlte. Er wollte sich entschuldigen, aber sein Stolz verbot es ihm. Auch Marcy sagte nichts. Sie achtete darauf, dass sie sich nicht berührten, nicht einmal die Finger, als sie ihm am Abend einen Teller gab. An diesem und den folgenden Tagen ging sie weiterhin zur Arbeit. Die Schläge wurden häufiger und brutaler. Manchmal verlangte Frank das Geld, das sie verdient hatte, um Alkohol für seine Freunde zu kaufen, die ihm in den Wochen zuvor Bier spendiert hatten.

Und dann rührt sich Marcy, das Nichts, nicht mehr. Die Realität schlägt Frank ins Gesicht, aber er hat zu große Angst, Marcy zu berühren. Panik drängt sich durch den Alkohol, doch er kann nicht denken. Er überlegt, ob er Hilfe holen oder verschwinden und erst zurückkehren soll, wenn sich die Aufregung gelegt hat. Die Zwillinge starren ihn an. Ihre Münder sind geschlossen. Tari schreit nicht mehr, aber sie schluchzt und hickst. Sie sieht ihren Vater ängstlich und hasserfüllt an. Frank fühlt sich nackt und verletzlich. Er stürmt hinaus in die Dunkelheit.

Kaum ist er weg, laufen die Zwillinge zu Marcy. Immer wieder rufen sie ihren Namen in dem Versuch, sie wiederzubeleben. Ihre Mutter reagiert nicht. In ihrem kurzen Leben haben sie genug gesehen, um zu wissen, dass sie nicht aufgeben dürfen. Rasch holen sie ein Glas Wasser. Es hat Marcy früher schon wiederbelebt, aber dieses Mal lässt das Wasser die Jungen im Stich. Es läuft ihrer Mutter aus dem Mund, ohne dass sie schluckt oder hustet. Mai Sheppard ist Krankenschwester im örtlichen Krankenhaus. Sie wohnt nebenan. »Der Mann wird dein Tod sein, wenn du nicht zur Polizei gehst«, hatte sie Marcy immer wieder gewarnt, als Marcy Zuflucht bei ihr suchte und sich von ihr die Wunden versorgen und Schmerztabletten geben ließ, die sie vom Krankenhaus mitgenommen hatte. So schnell, wie ihn seine Füße tragen, rennt Victor zu Mai Sheppard. Atemlos, voller Panik hämmert er gegen ihre Tür und ruft ihren Namen. Mai Sheppard, die ein altes T-Shirt und ein Sambia-Tuch trägt, öffnet besorgt.

Marcy erwacht im Krankenhaus. Sie kann die Augen nicht ganz öffnen und sieht nur verschwommen. Neben ihr piepst leise eine Maschine. Sie versucht, den Kopf zu bewegen. Er fühlt sich so schwer und schmerzhaft an, als hätte man ihr einen Haufen Steine darauf geworfen. Sie hört in der Ferne Menschen sprechen, versteht aber nicht, was sie sagen. In ihrem Mund ist ein muffiger Geschmack, weil sie seit Tagen nichts gegessen hat. Sie schaut zur Decke hinauf, als sie versucht, sich zu erinnern.

Wieder im Zimmer der Kinder. Ihr Nachthemd ist feucht von Schweiß. Tränen strömen ihr über die Wangen, aber das Zittern hat aufgehört. Sie blinzelt und beginnt, die Zettel und Münzen in den Behälter zurückzulegen. Ihre Finger finden die Schmerztabletten im selben Moment, als sie sie sieht. Erleichterung überkommt sie. Sie nimmt zwei Tabletten aus der Schachtel. Die unverwechselbaren Züge ihres Mannes Frank Mabaso starren sie vom Foto an, das auf den Boden gefallen ist. Sie hebt es auf und schaut es mit tränennassen Augen an. Die Farben sind verschmiert. Marcy ist froh, dass sie die Anzeige bei der Polizei, die Mai Sheppard erstattet hat, damit sie im Krankenhaus behandelt werden konnte, nicht weiterverfolgt hat. Sie musste Frank nicht finden, damit er Papiere unterschreibt, oder ihn zwingen, vor

Gericht zu erscheinen. Auch ist Frank nicht zurückgekommen, um mit ihr oder seiner Tochter zu sprechen oder irgendetwas zu holen. Sie atmet jetzt gleichmäßiger, räumt den Behälter auf und legt die Tabletten neben ihre Matratze. Neben ihrem Bett liegt eine Schachtel mit Streichhölzern. Ein paar Wochen nachdem sie sich wieder ohne allzu große Schmerzen bewegen konnte, hat sie Franks Kleider verbrannt. Es ist nur noch das Foto übrig. Flammen züngeln um die Ränder des Bilds. Das Gesicht des Mannes verschwindet. Als nur noch Asche auf dem Boden liegt, bläst Marcy die Kerze aus.

Schlangen und Gift

Ignatius Tirivangani Mabasa

Letzte Nacht hatte ich einen Traum! Es war kein schöner Traum, trotzdem mochte ich ihn. Ich träumte, dass ich eine Schlange war. Eine große rote Schlange, mächtig und unaufhaltbar. Ich weiß sehr wohl, dass eine Schlange kein sympathisches Geschöpf ist. Eine Schlange kann giftig sein und dich beißen. Hexen nutzen sie, und auch mein Pfarrer predigt, dass der Teufel eine Schlange sei. Aber ich bin nicht dagegen, die Schlange zu sein, die ich im Traum war – eine große fliegende Schlange.

Im Traum flog ich rasch zum Haus des Dorfvorstehers. Er und seine Familie wollten gerade zu Abend essen. Ich stieß alle Töpfe, Schüssel und Teller um und löschte das Feuer. Dann schlang ich mich um den Vorsteher und drückte ihn zusammen, bis seine Augen aus den Höhlen traten. Mit meinem langen Schwanz schlug ich nach seinen Frauen und Kindern und zerschnitt ihre Haut in ganz schmale dünne Streifen. Ich ärgere mich, dass ich aufwachte, bevor ich den Vorsteher und das Schwein von seinem Sohn, Onesimo, beißen und töten konnte.

Heute Morgen habe ich ihn wiedergesehen, Vorsteher Zhou. Ich kam vom Bohrloch, wo ich Wasser geholt hatte. Als er mich sah, verließ er den Pfad und ging in das mickrige Mopani-Gebüsch. Er kann mir nicht ins Gesicht sehen und mit mir sprechen. Ich will auch nicht mit ihm reden. Warum sollte ich? Wenn ich ihn in die Finger kriege, bringe ich ihn um. Ich spuckte auf den Boden. Wenn ich ihn sehe, wird mir übel.

Ich bin eine Frau, die viele Monde hinter sich hat. Ich habe drei Kinder. Zwei sind verheiratet. Mein Mann hat mich verlassen. Ihm gefiel das Aussehen von Mazvita, unserem letzten Kind, nicht. Er sagte, und das sind jetzt seine Worte, dass niemand in seiner Familie Mazvitas »grässlichen« großen Kopf und Augen habe. Er sagte, ich hätte mit diesem Kind sein Leben verflucht. Er gab mir die Schuld an Mazvitas Zustand und wollte, dass ich sie loswerde. Können Sie das glauben, *murume abva zera*, ein erwachsener Mann, der sagt: »Wenn du zum Fluss gehst, um dich zu waschen, ertränk sie einfach und sag, dass es ein Unfall war.« Auch wenn ich nur ein Stück Seife im Fluss verloren habe, bedauerte ich es zutiefst. Und so ein choreografierter »Unfall« hätte mich umgebracht. Als ich aufwuchs, sagte meine Mutter, dass ich besonders sei, und Mazvita ist auch etwas Besonderes für mich. Deswegen weigerte ich mich, sie loszuwerden, als wäre sie eine Bananenschale. Meine Mazvita hat es sich nicht ausgesucht, so geboren zu werden. Jetzt ist sie vierzehn Jahre alt und blüht auf, doch mein Mann ist nie zurückgekommen. Wie ich höre, hat er wieder geheiratet. Feigling!

Mazvita hat Trisomie 21, aber sie ist nicht dumm. Sie lernt nur langsam, doch sie hat Contenance. Sie hat Würde. Wir unterhalten uns und scherzen, und sie schafft alle Aufgaben, die ich ihr auftrage. Sie ist meine Freundin, doch wegen ihr habe ich eine offene Wunde, die blutet.

Ich bereue zutiefst den Samstagmorgen, als ich Mazvita zu Hause das Geschirr spülen ließ, während ich mich um meinen Gemüsegarten kümmerte. Sobald sie fertig war, sollte sie zu mir in den Garten kommen. Es war Mai John, unsere Nachbarin, die sah, wie Onesimo Mazvita ins Haus folgte. Es war Mai John, die diesen Hund dabei erwischte, wie er meine Tochter vergewaltigte. Er hatte ihr ihre Unterhose in den Mund gestopft. Als Mai John ihn fragte, was er da tue, erwiderte er: »Verschwinde, du Hexe, Mazvita ist meine Frau.« Mai John schlug Alarm, und als Onesimo klar wurde, dass sich Mai John nicht einschüchtern ließ, wollte er wegrennen, aber er wurde festgehalten. Als die Dorfbewohner eine Erklärung forderten, behauptete Onesimo wieder, dass Mazvita seine Frau sei.

Als ich davon erfuhr, starb ich. Ich ließ den Wassereimer fallen und wäre am liebsten in den Fluss gesprungen und ertrunken. Die Welt wurde auf einmal sehr seltsam. Als ich nach Hause kam, war Mazvita völlig aufgelöst. Ihre Kleider waren zerrissen, am Boden und auf ihren Beinen und Händen war Blut. Ihr Gesicht war von Schleim, Tränen und Speichel bedeckt. Sie schluchzte leise und konnte zwei Tage lang nichts essen und nicht schlafen. Es gelang mir nicht, sie zu trösten. Ich hätte Onesimo davon abhalten sollen, Mazvita scherzhaft als seine Frau zu grüßen. Ich hatte mir nichts dabei gedacht, weil Onesimo verheiratet ist und seine Frau Mazvita das Stricken beigebracht hat. Ich hielt sie einfach für gute Nachbarn.

Als ich bei der Polizei Anzeige erstattete, leugnete Onesimo, dass er Mazvita vergewaltigt hatte. Er behauptete, er habe Mazvita schreien gehört, sei zu ihr gerannt, um ihr zu helfen, und da habe ihn Mai John gefunden. Ich mache mir jetzt große Sorgen, weil Mai John der Polizei bei ihren Ermittlungen nicht mehr helfen will. Sie hat Angst, weil ihr Mann mit Onesimo verwandt ist.

Als die Polizei ins Dorf kam, hat sie Onesimo nicht verhaftet. Ich ging erneut zum Polizeirevier und erkundigte mich, was los sei. Ich befürchtete, dass Onesimo noch einmal kommen und meine Tochter erneut vergewaltigen würde. Ein unhöflicher Polizist sprach mit mir, während er sich die Zähne reinigte und Essensreste ausspuckte. Er sagte: »*Imi mbuya imi!* Großmutter, bist du hier, um uns zu sagen, wie wir unsere Arbeit tun sollen? Geh nach Hause, und wenn der Vergewaltiger noch einmal zu deiner Tochter kommt, dann sollte er vielleicht dein Schwiegersohn sein. Willst du keinen Schwiegersohn?« Die Worte des Polizisten taten mir Gewalt an. Ich spürte, wie mir die Erde beunruhigend schnell entgegenkam, und wurde ohnmächtig.

Ich war einen Tag im Krankenhaus zur Beobachtung wegen meines sehr hohen Blutdrucks. Ich bat den Arzt, mich zu entlassen, weil ich zu Mazvita nach Hause musste. Obwohl meine Schwester gekommen war, als sie von der Sache erfuhr, um mich zu trösten und mir zu helfen, vertraue ich niemandem mehr, was Mazvita betrifft.

Es stimmt, dass die eigenen Probleme anderen nicht den Schlaf oder Appetit rauben. Mein Schmerz und mein Leiden wegen Mazvita hielten die Frauen und Kinder des Dorfvorstehers auf der anderen Straßenseite nicht davon ab zu lachen. Vor allem vor und nach dem Abendessen lachen sie auf eine Weise, die ans Herz klopft und es verhöhnt. Ihre Mägen sind voller Essen und ihre Münder voller Sorglosigkeit. Ich kann nicht schlafen. Die Nächte sind lang. Ich bin erschöpft wie eine überreife und verfaulte Tomate, die sich nicht mehr an ihrer Pflanze festhalten kann. Wo gibt es Gerechtigkeit in diesem Land, in dem die Großen essen, was für die Kleinen gedacht ist? Die Blüten in Mazvitas Augen sind verwelkt. Sie will nicht mehr reden, nicht einmal mit mir, ihrer Mutter und Freundin. Sie hat ihren Garten weit weg verlegt, wo ich ihre Blumen nicht werde sehen können. Wenn die Leute behaupten, dass eine Schlange heimtückisch ist, sagen sie die Wahrheit; sie beißt auch das, was sie nicht frisst.

Ich weiß sehr wohl, dass der Dorfvorsteher große Macht hat. Auch die Polizei ist mächtig. Aber wer wird mir und Mazvita die Macht geben, Onesimo festzunehmen, zu verurteilen und ins Gefängnis zu stecken? Ich will nur Gerechtigkeit, aber wenn es keine Gerechtigkeit gibt, werde ich gezwungen sein, Onesimo umzubringen. Nächsten Monat wird ein Jahr vergangen sein, seit meine Tochter vergewaltigt wurde. Ich finde keinen Frieden. Die Polizei verhält sich mir gegenüber feindselig. Sie hat sogar damit gedroht, mich festzunehmen, weil ich mich in die Ermittlungen einmische. Ich zweifle nicht an den Gerüchten im Dorf, dass der Vorsteher die Polizei bestochen hat. Ich weiß, dass er drei Kühe und fünf Ziegen verkauft hat – billige Gerechtigkeit. Pfui! Darauf spucke ich.

Wie ein Rachegeist werde ich nicht ruhen. Ich kann nicht wieder auferstehen lassen, was sie in meiner Tochter getötet haben, doch ich werde sterben, wenn Onesimo weiterhin frei herumläuft. Gerüchte im Dorf besagen, dass die Familie Onesimo half, aus dem Dorf davonzulaufen. Wie ich höre, ist er nach Harare geflüchtet, um ein neues Leben zu beginnen. Ein neues Leben für die Schlange, die beißt, was sie nicht frisst.

Ich war seit drei Monaten nicht mehr auf dem Polizeirevier. Ich bin sicher, die Polizei und der Dorfvorsteher glauben, dass ich mich beruhigt habe. Aber ich bin der Baum, der nicht vergisst, was ihm die Axt angetan hat, auch wenn die Axt es vergessen hat.

Ich habe es getan. Was sollte ich tun? Ich tat es für Mazvita. Als der Präsident im Wahlkampf ins örtliche Geschäftszentrum kam, habe ich alle überrascht. Ich überraschte seine Sicherheitsleute und sogar mich selbst. Unentdeckt und unbeirrt, geschmeidig und dreist wie eine Schlange, kniete ich mich vor den Präsidenten, klatschte in die Hände und sprach ihn mit seinem Totem an. Eine schwere Hand packte mich wie einen leeren Sack und zerrte mich weg. Weder trat ich um mich, noch schrie ich, doch ich tat so, als wäre ich sehr zerbrechlich und würde unter großen Schmerzen leiden. Das half. Der Präsident sagte mit sanfter, doch gebieterischer Stimme: »*Vakomana*, wir behandeln ältere Mitbürgerinnen nicht so. Lasst sie los und lasst sie sprechen.« Ich zog mein Chiffonkleid zurecht und öffnete den Mund, um ein Klagelied für Mazvita zu singen, und es rührte den Präsidenten. Als er sich an die Versammelten wandte, schlug er mit der Faust auf das Rednerpult und sagte: »Ich toleriere keine Korruption und Unterdrückung der Verletzlichen und Schwachen. Wir haben den Krieg für die Befreiung aller Bürger gekämpft.«

Wir haben jetzt einen neuen Dorfvorsteher. Die Polizisten auf dem Revier wurden verhaftet und haben gestanden, dass sie von Vorsteher Zhou mit Kühen und Ziegen bestochen wurden, um nicht gegen Onesimo zu ermitteln. Onesimo ist nach Südafrika geflohen. Das macht nichts, denn ein Flüchtiger findet keine Ruhe. Der Gottlose flieht, auch wenn niemand ihn jagt. Seine Familie hat acht Kühe und zwanzig Ziegen als Entschädigung gezahlt, aber nicht für sein Verbrechen. Die Entschädigung wird Mazvita nicht heilen. Doch die Blüten kehren allmählich in ihre Augen zurück.

Der Ziegelstein

Tsitsi Dangarembga

Neben Baba Jos Kopf steht ein grüner Plastikteller mit abgenagten Schweinsfüßen und einem Rest *sadza*.

Das Mädchen hinter der Bar trägt schwarze Turnschuhe ohne Schnürsenkel, aber das ist der letzte Schrei. Obwohl das Hühnerauge auf ihrem kleinen Zeh aus einem Loch im Stoff wächst, fühlt sich das Mädchen gut.

»He!«, ruft sie. Sie heißt Clarissa. Sie schreit Baba Jo an, weil sie sich gut fühlt.

Baba Jo begreift nicht, was die junge Frau von ihm will.

»Bist du fertig?«, fragt sie. Sie tippt mit dem Daumennagel auf den Blechteller. Am Rand klebt geronnenes Fett. Daneben tropft es herunter, an Farbschuppen vorbei auf den rostigen Tisch.

Baba Jo hebt den Kopf. Clarissa macht sich nicht die Mühe, schnell genug aus dem Weg zu gehen. Der Teller kippt und leert sich auf Baba Jos Kopf.

Alois Madya mochte Clarissa noch nie. Baba Jo findet sie okay, aber Alois nicht. Er sieht zu, wie Clarissa Baba Jos Schulter schüttelt, um Essensreste aus seinem Haar zu entfernen. Baba Jo hält es für eine Zärtlichkeit und lächelt Clarissas Brüste an.

»Hm-hm!« Clarissa schnaubt leise und stolziert mit dem Teller davon. Ein Schweinsfuß bleibt unter dem Tisch liegen.

Alois nähert sich seinem Saufkumpan.

Er fragt sich, wie lange es dauern wird, bis Baba Jo zu sich kommen und ihm heute sein erstes Bier spendieren wird. Baba Jo gehört zu den Glücklichen. Seine Tochter ist Krankenschwester im

Missionskrankenhaus neben dem kahlen Berg. Sie kommt nicht oft nach Hause, aber sie schickt regelmäßig jeden Monat Geld. Und Baba Jo ist ein besonnener Trinker. Das Geld wird zwar elektronisch auf das Handy, das ihm seine Tochter geschenkt hat, überwiesen, dennoch bleibt er bei traditionellem Bier und straft die schäumenden, kohlensäurehaltigen Getränke mit Verachtung, die spritzen und um die Flaschen und Dosen sprudelnde Pfützen bilden.

»Shake Shake!«, sagt Baba Jo, als er nüchtern genug ist. »Wenn es kein Shake Shake ist, ist es kein Trinken. Nie! Nur mit einem Krug Bier unter Freunden. Es hat noch kein Trinken gegeben, ohne anzustoßen.«

Und er trinkt immer schubweise die gleiche Menge: genug, um sich schläfrig zu fühlen und das Essen einzuweichen; dann wird er wieder wach, und es beginnt die nächste Runde, bis seine Muskeln zittern wie Gelatine.

Alois erwischt Baba Jo am liebsten nach der ersten Runde Shake Shake und dem ersten Teller stark gesalzenem Fleischabfall. Das Essen ändert sich, je nachdem, welcher Tierkadaver in der Metzgerei neben der Bar im staubigen Geschäftszentrum gebraten wird.

Baba Jo ist nach einem Teller Schweinsfüße am großzügigsten. Dann hält er den Huf hoch, lacht und sagt: »Lachen Sie nicht, meine Herren. Was habt ihr gegessen, als ihr nichts weiter als eure Söhne zustande gebracht habt – die nichts für euch tun! Das habe ich gegessen, als ich beschlossen habe, dass es Zeit für eine Tochter ist!«

Alois Madya geht zu seinem Freund, dessen Kopf wieder auf dem Tisch liegt. Wie es wohl wäre, so eine Tochter zu haben, fragt er sich. An diesem frühen Nachmittag bringt ihn dieser Gedanke nicht aus der Fassung, wie es normalerweise der Fall ist, wenn er an seine Tochter Kuda denkt, denn heute fühlt sich Alois Madya gut.

Ba'Jo dreht den Kopf, und das Fett der Schweinsfüße verschmiert seine andere Wange.

»Ba'Jo, wie geht's?«, begrüßt Alois seinen Freund hoffnungsvoll. Wenn es nicht um Clarissa geht, der ersten Person, die Alois in der Bar gesehen hat, fühlt er sich stark. Vor Kurzem, vor ein paar Tagen erst hat er sich eingestanden, dass er nicht ertrinken kann, weder in seinen Sorgen noch im Bier. Die einzige Möglichkeit zu ertrinken, die Alois sich vorstellen kann, ist ein tiefer ruhiger Fluss vor Felsen aus Granit, mit Unterwasserströmungen, die einen Mann hinunterziehen können. Mit Wassergeistern kommt er nicht zurecht. Er hat Respekt vor den Wesen, die in Wirbelwinden kreisen und in die Höhlen einer kalten, sich drehenden Welt eintauchen. Alois akzeptiert, dass er nicht zu denen gehört, die tiefe, nasse, starke Orte aufsuchen. Sein Platz ist auf Kies und trockenem Veldgras, wo die Wasserkönigin, wenn sie auf ihren Reisen herumwirbelt, Staub zu Stürmen aufsaugt.

An manchen Tagen wird müßig über den Klimawandel gesprochen, sogar hier im Geschäftszentrum. Hin und wieder schauen die Trinker durch zerbrochene Fenster und schmutzige Glasscheiben zum Himmel. Sie und auch Alois fragen sich, wie es möglich ist, dass es drei Wochen lang ununterbrochen regnet oder drei Wochen Trockenheit in der falschen Jahreszeit herrscht, bevor rastlose Geister wieder Donnerkeile schleudern.

Bodenwissenschaftler im Landwirtschaftlichen Forschungsinstitut vermuten, dass es bald keine Erde und keinen Sand, sondern nur noch Gestein geben wird, weil die Leute das Gebüsch abholzen und die Flanken der Berge mit Hacken bearbeiten, ohne Terrassen anzulegen, und der Regen macht gemeinsame Sache mit den Dorfbewohnern und fließt über den Boden wie ein Rechen, und die dünne Erdschicht freut sich, unterwegs zu sein, und rauscht in die Flüsse.

Aber Alois Madya, der vor Kurzem Frieden mit seinem Leben geschlossen hat, denkt nicht allzu lange über diese Dinge nach. Es stimmt, der Regen hat das neue, trockenheitsresistente Saatgut weggewaschen, das die Gruppe »Gerechtigkeit in der Landwirtschaft und europäische technische Hilfe« in Zusammenarbeit mit dem Landwirtschaftsministerium zur Verfügung gestellt hat und das er, Mrs Madya und manchmal auch Kuda während der letzten Pflanzsaison gesät haben. Es stimmt, was der Regen übrig ließ, holten die Paviane. Doch den Ärger mit den Pavianen gab es schon vor Alois' Plan, etwas zu verändern, als seine Ideen noch nicht voll ausgereift waren, als seine Frau ihn ansah auf eine Weise, die leise besagte »Mit Mann oder ohne Mann, hier mit meinem Mann oder dort im Haus meines Vaters, was stirbt nicht?«, als sie sich kratzend und niesend von der Sorghumernte zurückkam; und wenn er an ihr vorbeiging, schaute ihn seine Tochter überhaupt nicht an, sondern kicherte mit ihren Freundinnen jeden Tag heftiger, und kein einziges Mal fiel Alois ein, wie er sinnvoll auf die jungen Frauen reagieren könnte.

Während der gesamten Saison, als die Sonne ihr sengendes Licht auf die Erde warf und sie um Regen beteten, während der gesamten Saison, als es endlich regnete wie zu Noahs Zeiten und sie um Sonne baten, zerrte das scharfe Lachen seiner Tochter jeden Abend, wenn er zu den Feldern schlurfte auf dem Pfad, auf dem sich seine Frau nach der Arbeit des Tages zurückschleppte, an Alois' Herz, und er war unfähig, etwas zu erwidern. Aber da das zu der Zeit war, als nicht alles gut war und Alois' Pläne nicht so waren, wie seine Pläne hätten sein sollen, schlief er stets auf seinem Posten am Rand des Maisfelds ein, kaum dass sein Hintern das knallgelbe Stück Plastik, ausgeschnitten aus einem alten Saatgutsack, berührte, kaum dass sein Rücken einigermaßen bequem an einem der Pfähle lehnte.

Die Paviane warteten, bis er schlief. Dann standen sie auf, um im Mondschein zu tanzen wie eine Bande Dorfbewohner bei einer politischen Versammlung, die von ehemaligen Guerillas und Undercover-Geheimdienstinformanten befohlen worden war, von den Leuten, von denen die Dorfbewohner wussten, dass sie sich zu viele Tode und zu viele Todesarten einverleibt hatten, um jemals wieder nüchtern zu sein, ob sie nun Baba Jos Shake Shake oder Wasser oder irgendetwas anderes tranken.

In jenen Tagen, als die Paviane mit seinen letzten Maiskolben davonsprangen, bevor seine Pläne voll ausgereift waren, stapfte Alois nicht nach Hause, wenn die Sonne aufging. Er wartete, wie es ein Mann tun sollte, bis ihm die Mutter seiner Tochter Kuda das Frühstück brachte.

Ma'Kuda war auf merkwürdige Weise nicht zu sehen als auch zu sehen, wenn sie das Essen brachte. So wie die Schattierung ihrer Haut bei einem Schritt mit der Erde verschmolz und sie beim nächsten als Relief erscheinen ließ, wirkte sie zuerst kleiner und dann größer als alles Sterbliche. Wenn Ma'Kuda wie aus dem Nichts hervortrat, ragte sie vor Alois und den verheerten Feldern auf wie eins dieser Ungeheuer, die die Leute einfingen und auf die sie lachend auf dem Display ihrer Handys deuteten.

Dennoch wurde Mai Kuda wieder sie selbst, wenn sie sich näherte, und zu der Frau, die Alois mit einem leisen Flattern des Triumphs, weil er ihrer riesigen Erscheinung widerstanden hatte, wohlwissend nicht kannte. Sie ging gemächlich. Auf dem Kopf balancierte sie einen wie einen Topf geformten kleinen Weidenkorb. Darin befanden sich eine Kanne Tee und ein Teller mit Süßkartoffeln. An einem guten Tag gab es mehr: Zucker und ein paar Scheiben Brot, gelegentlich mit einer hauchdünnen Schicht Margarine. Als sie bei Alois ankam, kniete sich Ma'Kuda hin und holte mit langsamen freudlosen Bewegungen das Essen aus dem Korb. Sie war eine drahtige Frau, die von niemandem mehr Genugtuung erwartete. Demgemäß versuchte sie mit ganzer Kraft, keine Erwartungen zu haben. Da diese Haltung jedoch eine Art Erwartung war, lebte Ma'Kuda in einem schrecklichen bitteren Dilemma. Alois sah seine Frau nicht an, als er das Essen nahm. Zwischen Bissen erzählte er, wie er sich in der vergangenen Nacht dem Tanz angeschlossen hatte mit einer wilden Energie, die alle und alles in Angst und Schrecken versetzt hatte, dennoch seien die Paviane gekommen. Auf diese Weise bis zur Erschöpfung tanzend, habe er eine Ecke des Felds retten können.

Alois bekam nur selten eine Antwort. Er schaute in seine Tasse und über ihren Rand zu den Bergen hinter dem Dorf. Er wünschte sich die Gesellschaft seiner Frau, doch ihre Anwesenheit machte ihn nervös, sodass er wünschte, sie würde ihn allein lassen. Er wollte und wollte es nicht, so allein zu sein wie ein Berg. Wenn absolut keine Reaktion erfolgte, steckte Alois Madya die Hand in die Tasche. Er hatte die Gewohnheit, bei Tagesanbruch, nachdem sich die Paviane zurückgezogen hatten, sodass keine Gefahr bestand, die Eindringlinge zu verärgern, doch bevor seine Frau kam, einen Gang über das kleine Feld zu machen. Auf dieser Runde pflückte er ein paar Ähren, die die Tiere abgebrochen und hängen gelassen hatten. Wenn er wieder auf seinem Posten saß, faltete er eine Hosentasche, sodass die Löcher verdeckt waren, und tat das Sorghum hinein.

»Wenn es so ist, Baba, können wir heute Nacht beide hierbleiben«, sagte seine Frau einmal mit ihrer tonlosen Stimme. Da sie meist Förmlichkeiten von sich gab, auf die beide nicht achteten, erfolgten ihre Äußerungen in Zeitlupe, und die überflüssigen Worte hinterließen eine bange Spur wie der Schleim einer Schnecke, in der leise ein Wunsch schimmerte. Dieses eine Mal war Alois nahe daran, die Tasche zu öffnen, ihr die Sorghumähren zu zeigen und ihr zu erzählen, was er damit vorhatte, doch er überlegte es sich anders und tat es nicht.

Wenn Kudas Mutter Alois das Frühstück nicht brachte, dann trug seine Tochter Kuda den Weidenkorb vom Küchen-Rondavel durch den Hof und den Abhang neben dem Rinderpferch zum Feld hinunter.

An diesen Tagen wurde kein weiteres Wort gesprochen außer dem obligatorischen »Guten Morgen« und »Wie hast du geschlafen?«. Kuda kniete sich vor ihren Vater und nahm das braune Papier weg, das den Korb bedeckte. Sie zog es vorsichtig zwischen den Behältern und den Weidenzweigen heraus, um es wieder benutzen zu können, stellte den Behälter mit Süßkartoffeln vor Alois und entfernte den Deckel. Dann platzierte sie den Emaillebecher daneben. Schließlich holte sie die Teekanne heraus. Wenn Kuda das Frühstück brachte, dampfte der Tee noch. An manchen Tagen glaubte Alois, es läge daran, dass sie schneller ging. Ihm gefiel der Gedanke, dass seine Tochter sich beeilte, um ihrem Vater nach der Nacht im Freien das Essen zu bringen. Auch glaubte er gern, dass seine Tochter ein bisschen früher aufstand, damit das Wasser im Kessel lange kochen konnte, sogar zwanzig Minuten, wie es das Gesundheitsministerium empfahl, um Krankheitserreger abzutöten. Alois glaubte gern, dass deswegen der Tee seiner Tochter duftend dampfte und der duftende Dampf seinen Appetit anregte, bevor der Tee auf seine Lippen traf, wohingegen der Tee seiner Frau Mai Kuda weder dampfte noch den Wunsch nach Essen hervorrief. Wenn er über diesen Unterschied sinnierte, dachte Alois bisweilen, dass es einen bestimmten Grund dafür gab. Beim nächsten Mal meinte er, es sei der andere Grund. Hin und wieder glaubte Alois, dass Kudas Tee aus beiden Gründen heißer war als der seiner Frau. Alois erzählte seiner Tochter keine Geschichten über seine Heldentaten bezüglich der Paviane. Es war ihm unmöglich, sie anzulügen, denn allein schon bei dem Gedanken daran wurde ihr Lächeln seiner Ansicht nach härter, verzerrter und blendend wie ein von einer gereizten Göttin geschleuderter Blitz. Manchmal fragte er sich, was passieren würde, sollte er ihr das Sorghum in seiner Tasche zeigen, aber er traute sich nicht.

Wenn Alois mit dem Essen fertig war, warfen die Frauen, wer immer von den beiden es gerade war, die Schalen ins Feld.

Anschließend trug sie den Korb mit dem schmutzigen Geschirr unter dem Arm, da er jetzt zu leicht war, um ihn auf dem Kopf zu balancieren. Gesättigt wartete Alois, bis die Sonne ihre Position geändert hatte, bevor er aufstand. Er wollte auf dem Weg weder seine Frau noch seine Tochter treffen, sollten sie dort mit einer Freundin plaudern. Bevor er ausführlich über seine Lage nachgedacht hatte, war das Meiden seiner Familie Alois' hauptsächliche Erfahrung bei seiner Planung gewesen. Einmal hatte seine Tochter Kuda auf dem Rückweg vom Feld Tabitha getroffen, eine junge Frau, die wie Clarissa in der Bar im Geschäftszentrum arbeitete. Kuda hatte den Korb auf einem Felsen neben dem Weg abgestellt und die Arme um die Schultern ihrer Freundin geschlungen, und dann hatten die jungen Frauen genau im selben Moment angefangen zu sprechen. Sie lachten darüber und redeten beide gleichzeitig weiter. Sie machten kleine lebhafte Schritte hierhin und dorthin, berührten sich gegenseitig am Haar und lachten schrill:»He-he!« Sie hielten sich an den Händen, als wollten sie rufen:»Unsere Heiterkeit ist so groß, dass wir den Abhang neben dem Rinderpferch meines Vaters hinunterrollen werden, wenn wir uns nicht gegenseitig festhalten.« Alois stieß auf die beiden jungen Frauen, als er um die Kurve neben der Musasa-Gruppe kam. Kudas Vater wusste, dass sie nicht über ihn lachten, doch er konnte den Gedanken nicht verscheuchen, dass er der Grund ihrer Ausgelassenheit war. Denn Alois war sich klar darüber, dass die Leute im Dorf über ihn lachten, und glaubte, dass sie es überall taten. Sie waren ständig auf der Suche nach irgendetwas, das sie mit einem Ausbruch von Frohsinn schänden konnten; und Alois wusste, dass es diesen Leuten am liebsten war, wenn dieses Irgendetwas irgendjemand war.

Obwohl er das wusste, steckte Alois an jenem Tag mit so etwas wie Hoffnung die Hand in die Tasche seiner Khakihose. Er griff nach einer Ähre Sorghum. Er wollte Kuda erzählen, warum er sie dabeihatte. Obwohl es die Freundin Tabitha auch hören würde, setzte Alois zum Sprechen an, denn Tabitha stieß ihn körperlich nicht so ab wie Clarissa. Bei Clarissa erstarrte sein Körper, und jedes seiner Haare zitterte wie ein Fühler. Einem väterlichen Impuls folgend, schloss Alois an jenem Morgen Frieden mit dem Vorhaben, seiner Tochter von dem Teil von sich zu erzählen, über den, wie er wohl wusste, Frauen lachen würden aus keinem Grund, den er verstand, wenn sie ihn in Gesellschaft einer dieser lachenden jungen Frauen sehen würden.

Kuda sah die Hand ihres Vaters in der Hosentasche und dachte an den Dorftrinker. Er hieß Skoforo. Alkohol hatte Skoforos Hirn zerstört.

Der Schnaps, der Skoforos Gehirn vernebelte, wird aus generationenalten Reifen gebrannt. Über viele Monate werden die Reifen immer wieder von einem neueren Fahrzeug auf ein älteres Modell ummontiert. Dies geschieht in zunehmend größerer Entfernung von der Stadt, bis der Gummi schließlich nicht mehr zum Transport taugt und dummerweise über die Straße schlittert, statt ruhig auf sein Ziel zuzusteuern. In diesem Stadium wird der Gummi in Platten und Streifen verschiedener Größe geschnitten. Diese werden zu billigen Sandalen verarbeitet, zwei Dollar das Paar: Schnäppchen für junge Männer in flatternden Hemden, die sich am Rand der Stadt versammeln. Die Sandalen halten ein paar Monate. Niemand hat sie je länger als drei Monate getragen. Im vierten Monat wirft sie der Besitzer auf eine der Müllhalden, denen still und leise Gase entweichen. Oder der junge Mann verkauft sie ebenso still und leise einem Schnapsbrenner. Jeder Wagen, dem die Reifen dienen, zählt als eine Generation. Skoforo erbettelt fünf Rand von irgendeinem großen Mann in der Stadt. Wenn er sie bekommt, handelt er dem Schnapsbrenner einen Rabatt ab, schraubt den Deckel von der Flasche und schluckt die verdünnte Zukunft.

Kuda geht manchmal, wenn ihre Mutter einen Geldschein von einem Verwandten bekommen hat, ins Geschäftszentrum, um ein Stück Laugenseife zu kaufen. Wenn Kuda den Auftrag ihrer Mutter erledigt, kommt sie an Skoforo vorbei, der vor dem Schnapsladen herumlungert. Wenn Skoforo Kuda sieht, steckt er die Hände in die Hose. Kuda sieht, dass sie Macht hat. Sie hat Einfluss auf den Körper des Trunkenbolds.

Auf dem Weg fragt sich Kuda jetzt, warum ihr Vater so dasteht, die Hand in der Hosentasche und diesen Blick in den Augen, der so fremd und komisch ist. Ihre Augen funkeln. Sie zieht Tabitha am Arm fort, ohne sich von ihrem Vater zu verabschieden.

»He-he!« Tabitha lacht schrill, als sie hinter Kuda den Abhang hinauf zu Kudas Hof stolpert. »Kuda! Morgen kriege ich Besuch. Du sollst mir hübsche Zöpfe flechten.«

Alois schaut ihnen nach. Er sieht das Mädchen, das heißen Tee bringt, das nicht lacht. Sofort vergibt sein Herz seiner Tochter.

Die beiden jungen Frauen schauen über die Schulter zurück. Alois steht reglos da. Seine Hand noch immer in der Tasche.

»He-he-he!« Tabitha stößt ein weiteres hohes Kreischen aus. Jetzt lacht auch Kuda.

Alois ist froh, dass er niemandem von den zwei Sorghumähren in seiner Tasche erzählt hat. Er beschließt, seiner Tochter nicht zum Hof zu folgen. Stattdessen schlägt er sich in die Büsche, um sich zu erleichtern. Urin, der auf die Erde zischt, ist eine Reinigung. Seine Prioritäten sind jetzt klar. Heute ist es nicht nötig, sich wie üblich am Morgen zu waschen. Er muss so schnell wie möglich in die Bar und Baba Jo finden.

Der Weg von seinem Hof zur Bar führt durch ein Flussbett. Es besteht jetzt nur noch aus Sand, glaubt fest an Trockenheit und erinnert sich nicht mehr an Wasser. Auf der anderen Seite des Flussbetts hat die Familie des Dorfvorstehers einen Stacheldrahtzaun aufgestellt. Dieser Zaun, der nach mehreren Jahren hier und da durchhängt, umgibt drei große Bäume. Es ist der Friedhof des Dorfvorstehers. Dieser Bereich, wo der Vorsteher seine Vorfahren beerdigt hat, ist heilig, weswegen auch der dazugehörige Busch heilig ist. Niemand im Dorf wagt es, hier Feuerholz zu holen. Kinder klettern nicht über den Zaun, um Hute-Beeren und Mangostane von den Bäumen zu pflücken.

Alois hatte hier einmal Angst, als es zwischen den von den Büschen auf den steinigen Boden gefallenen Blättern raschelte. Seine Zunge wurde pelzig wie das Fell eines Tiers. Galle verbiss sich mit vielen Zähnen in seinen Magen. Er atmete wie ein Marathonläufer, obwohl er nur wie üblich die Straße entlanggegangen war. Alois ließ einen Haufen Zweige und Laub nicht aus den Augen. Jedes Mal, wenn sich der Haufen bewegte, blieb er stehen. Jedes Mal, wenn er stehen blieb, schlug sein Herz schneller. Als der Haufen sich nicht mehr rührte, ging Alois vorsichtig um ihn herum. Ein kleiner Kopf mit einem roten Kamm bewegte sich langsam hin und her wie Baba Jos Kopf auf dem Tisch in der Bar. Als Alois ihn bemerkte, sprang er zurück aus Angst vor einer Schlange. Kaum stand er still, streifte ein gepunkteter Flügel über die Blätter. Alois schüttelte den Kopf und brach in Lachen aus.

Es war ein Perlhuhn. Es hatte gegen einen anderen Hahn den Kürzeren gezogen. Als er zusah, wie der Vogel hüpfte und flatterte, leuchtete in Alois' Augen ein seltenes Licht. Er schmeckte Fleisch auf der Zunge. Es war mit Tomaten, Zwiebeln und Knoblauch gewürzt, es war scharf und stark gesalzen. Das Fleisch wäre etwas zäh, was es wunderbar schwer zu kauen machen würde. Alois' Magen knurrte dankbar. Er neigte sich vor und schlich vorwärts, die Hände angespannt, aber bereit, den Vogel zu fangen und ihm den Hals umzudrehen. »Mein Mann, danke, mein Mann. Danke, Chihwa, der du nur isst, was aufrecht steht!«, würde Mai Kuda mit ihrer tonlosen Stimme sagen, wenn er ihr den Vogel überreichte. Das Geräusch eines Dörflers, der in der Ferne Holz hackte, fungierte als ihr Klatschen. Er sah vor sich, wie seine Frau den Vogel rupfte und eine Zwiebel schnitt. Ein Tropfen Speichel sickerte aus seinem Mundwinkel. Wenn sie glücklich war, brachten Mai Kudas Kochkünste einen Mann zum Weinen nach seiner Mutter.

Während Alois von diesem köstlichen Mahl träumte, zog das Perlhuhn die Haut über seinen Augen zurück. Trotz seiner Verletzungen hüpfte der Vogel hopp-hopp aus der Gefahrenzone. Alois blieb wie angewurzelt stehen, als sich der Vogel bewegte. Nach einem Moment folgte er langsam der verletzten Kreatur. Er ließ zu, dass er sich in einem Nzambara-Gestrüpp verfing, und blieb stehen, um sich zu befreien. Federgras stach durch die Löcher in seiner Hose und fiel hinein. Er neigte sich vor, um die langen Halme herauszuziehen. Alois war sich des Dings bewusst, das das verwundete Tier beunruhigte. Das Ding war immer da. Wenn er nachts auf seinem Posten schlief, schlurfte es mit langen pflanzenfressenden Hauern um das Feld. Wenn er Mai Kudas oder auch Kudas Tee trank, schmatzte es mit den Lippen. In der Bar lümmelte es herum, und wenn er im Zickzack nach Hause schwankte, sprang es hinter ihm her. Wenn er das Bewusstsein verlor, streckte es die Arme aus und umschlang ihn. Jedes Mal sagte er sich, dass er sich umdrehen oder ein Auge öffnen würde. Er sagte sich, dass er sich ihm stellen würde.

Sie waren klein: Ein Mann war an die Größe von Hühnereiern gewöhnt, sagte sich Alois, um sich zu erklären, warum er die Eier des Perlhuhns nicht rechtzeitig gesehen hatte. Er war überrascht, aber dankbar, dass er nur auf zwei Eier getreten war. Wie man es auch betrachtete, es war eine Verschwendung. Alois hob vorsichtig den Fuß aus dem Nest und wischte ihn am Boden ab. Um das Nest lagen gesprenkelte graue und weiße Federn verstreut, und ein paar Blutstropfen klebten am Boden. Siebenundzwanzig Eier lagen in den blutorangefarbenen Dottern, die aus den zwei kaputten Eiern liefen. Er dachte daran, ein halbes Dutzend Eier vorsichtig in seine Tasche zu tun. Doch die meisten waren blutverschmiert, deswegen überlegte er es sich anders. Enttäuscht tat Alois den Busch, das Huhn und das Nest mit den Eiern mit einer Handbewegung ab und setzte seinen Gang zur Bar fort.

Am nächsten Tag überraschte sich Alois selbst, als seine Füße nach dem Flussbett erneut von der Straße abwichen. Ein Perlhuhn flatterte mit den Flügeln und kreischte, als er sich dem Busch näherte, in dem sich sein Nest befand. Am Abend machte Alois es sich wie üblich auf seinem Posten bequem. Nachdem die Paviane verschwunden waren, riss er auf seiner Runde ein paar herunterhängende Ähren Sorghum ab. Später ging er im Gebüsch nach dem Fluss ein Stück durchs Gestrüpp, bis er nahe am Nest war. Er rieb an den Ähren, um die Körner zu lösen, und warf sie in Richtung des Nests. Die Henne sah ihm zu, und er sah der Henne zu, und dann ging jeder seinem Tagwerk nach. Das tat Alois eine Weile jeden Tag auf dem Weg zur Bar, wo er mit Baba Jo an dem verrosteten Tisch saß. Als die Küken geschlüpft waren, brachte Alois seine Opfergaben aus etwas größerer Distanz dar.

Ein Falke zählte jeden Tag, eins, zwei, drei und so weiter, auf seinen Krallen und seinem Schnabel und dann auf Kieselsteinen auf dem Boden ab, bis zu siebenundzwanzig Tagen, nachdem die Hennen ihre Eier in das Nest gelegt hatten, und alle außer einer beschlossen, dass sie mit der Mutterschaft fertig waren. Nach ungefähr drei Wochen, kurz bevor die Küken die Schale durchstießen, begann der Falke in der Höhe kleine scharfsichtige Kreise zu ziehen.

An diesem Morgen, als Alois unterwegs zu Baba Jo in der Bar ist, wo sie die unerträgliche Clarissa bedienen wird, sind nur noch neun kleine Perlhühner übrig. Wie üblich wirft Alois die Körner. Er weiß, dass bald alle kleinen Bälle aus Federn und Fleisch verschwunden sein werden. Ihm wird klar, dass er dann kein Sorghum mehr bringen und niemand wissen wird, dass er es getan hat. »Schau! Da im Gebüsch wächst Sorghum«, wird dann jemand sagen und Geschichten über die Wohltätigkeit der

Geister der Vorfahren erfinden oder über die Moral, die die Mädchen im Dorf über Bord geworfen haben.

Bei diesem Gedanken beschließt Alois, sich rasch zu betrinken. Es hat keinen Sinn, über ein Leben zu grübeln, das niemandem etwas geben kann, nicht einmal eine kleine Ähre mit Körnern einer Familie von Geschöpfen mit einem Schnabel und einem kleinen roten Helm.

Die Latrine, eine Bruchbude aus Lehm und Stroh mit Strichzeichnungen aus Kalk, die auf der rechten Seite einen Mann und auf der linken eine Frau darstellen sollen, steht zwischen der Bierkneipe und der Parkbucht, in der Lastwagen aus und nach Mosambik parken.

Dieses Mädchen, Tabitha, lehnt an einer Lkw-Tür. Sie zieht ein Stück Stoff aus dem Lkw-Fenster und wendet sich Kuda zu, die mit vor der Brust verschränkten Armen neben ihr steht, den Kopf zur Seite geneigt. Der Stoff ist ein Kleid. Tabitha schüttelt es und hält es sich lachend vor den Körper. Kuda zuckt die Achseln, eine unbeholfene, unwillige Bewegung, als wäre sie lieber nicht hier. Es ist die Unbeholfenheit der Bewegung seiner Tochter, ein unsicherer Versuch, weder schwach noch stark, ohne die Eindeutigkeit der Temperatur ihres Tees, die Alois fertigmacht. Wenn sie einfach lachen und sagen würde, »Ich bin eine Hure. So bekomme ich meine Kleider und die Sprechzeit für dein Handy, Baba«, würde es Alois zwar nicht zufriedenstellen, aber es würde ihn aus Dankbarkeit, wenn nicht aus Respekt, einem Gefühl vernünftiger Fairness, zum Schweigen bringen. Doch Alois wird klar, dass er und seine Tochter noch nicht an diesem Punkt sind und vielleicht nie dorthin gelangen werden. Kuda streckt sich zwischen zwei Polen. Vielleicht wartet sie auf irgendetwas von irgendjemandem, einen Auftrag möglicherweise. Jedenfalls wird sie die Entscheidung nicht treffen.

Alois steigt über Skoforo, der vor dem Eingang der Kneipe liegt, und geht weiter zur Parkbucht. »Kuda!«, ruft er leise. »Kuda, meine Tochter, du hörst nicht auf mich. Verschwinde! Geh jetzt nach Hause!«

Weder sieht noch hört Kuda ihren Vater. Tabitha lacht laut und wirft sich das Kleid über die Schulter. Der Lkw-Fahrer kichert lange und tief. Skoforo kommt, um nachzuforschen, was los ist. Er sieht Kuda und steckt die Hand in die Hose. Alois bemerkt es nicht. Er ruft leise: »Warum stehst du hier so herum? Ich habe dir gesagt, ich will nicht, dass du dich mit diesen Fahrern und Barmädchen rumtreibst.«

Die zwei jungen Frauen sehen Alois nicht. Der Lkw-Fahrer lacht über den betrunkenen Mann, der auf die Toilette zusteuert. Als Alois wieder herauskommt, sind der Fahrer, Tabitha und Kuda nicht mehr da. Skoforo liegt wieder vor der Tür zur Kneipe.

Als er endlich am Tisch sitzt, nimmt Alois Baba Jos Shake Shake an. Am Nachmittag ist er betrunken genug, um nach Hause zu gehen. Das gehört zu Alois' neuem Plan. Er wird genügend trinken, um die Blicke seiner Frau und seiner Tochter zu ertragen, aber nicht so viel, dass er wütend wird und auf Mai Kuda und Kuda einschlägt. Alois' Plan sieht vor, seine Verzweiflung in Zaum zu halten und nicht vergeblich zu versuchen, sie in den Stunden in der Kneipe wegzuwaschen. Vom nächsten Morgen an wird er sich bis Mittag in den Hof setzen und den Frauen bei der Hausarbeit zusehen. Denn er weiß, dass Frauen gern vom Mann des Hauses beobachtet werden, auch wenn sie vorgeben, allein sein zu wollen, wenn sie mit dem Reisigbesen den Sand wegfegen oder einen Rest *sadza* aus dem Topf scheuern, und er weiß um sein Defizit in dieser Sache. Und am Abend wird er es wieder tun, ihnen dabei zuschauen, wie sie mit ein paar Blättern Kohl aus dem Garten kommen oder in den Busch gehen und Feuerholz holen. Wichtig wird sein, dass Alois aufrecht auf dem Lehmfundament vor seinem Schlafzimmer sitzt und dabei gesehen wird, wie er beobachtet, was in seinem Hof vor sich geht.

Hin und wieder wird er ein aufmunterndes Wort äußern oder Mai Kuda und Kuda mit einem Witz überraschen.

»Mai Kuda! Kennst du die Geschichte, die die Leute über den Minister der Regierung, der gestorben ist, erzählen?«

Mai Kuda wird erstaunt aufblicken, und ausnahmsweise wird ein Funken Interesse in ihren Augen aufblitzen.

Alois wird fortfahren: »Sie erzählen, dass der Minister eines Tages seine Mutter besucht hat. Sie hat ferngesehen, aber als der Minister ins Zimmer gekommen ist und gesehen hat, was die alte Frau tut, hat er angefangen zu weinen. ›Mai!‹, schluchzt er und sieht fern, während ihm das Wasser über die Wangen läuft, ›Mai, alle lachen über mich.‹ ›Warum tun sie das?‹, fragt die Mutter. Sie kann nicht glauben, dass irgendjemand über ihren Sohn, den Minister, lacht. ›Sie behaupten, dass ich der hässlichste Unmensch bin, der je gelebt hat‹, antwortet der Minister. ›Das Fernsehen zeigt immer die Minister, deswegen erkennen mich die Leute und lachen.‹ Die Mutter trocknet die Tränen ihres Sohns und sagt: ›Mach dir deswegen keine Sorgen, mein Sohn. Als sie wieder zum Fernseher schaut, fangen die Nachrichten an, und der Minister kommt ins Bild. ›Da‹, sagt die Mutter triumphierend zu ihrem Sohn. ›Habe ich es dir nicht gesagt, du kannst nicht hässlicher sein als er, mein Sohn, als der, der gerade im Fernsehen zu sehen ist.‹«

Alois sieht die kleine Familie, alle drei, vor sich, wie sie im Hof lachen. Als er sich von Baba Jo verabschiedet, ihm für das Bier dankt und sich auf den Weg macht, schwindet seine hoffnungsvolle Stimmung. Stattdessen ist er voller Zweifel. Die beiden Frauen haben keine Ahnung, wie viel es braucht, damit ein Mann dieser Tage einfach nur leben kann. Tag für Tag muss er weitermachen, atmen, schmecken, hören, sehen und wissen. Das tut er jeden Tag, doch niemand würdigt dieses heldenhafte Stehvermögen. Werden sie heute Nachmittag, wenn er seinen neuen Plan in die Tat umsetzt, anerkennen, dass er es für sie alle drei tut? Die Frustration rührt das Shake Shake in seinem Magen auf, sodass es doppelt so stark wirkt. Als Alois seine Füße in den Sand des Flussbetts steckt und wieder herauszieht, fühlt er sich betrunkener, als sein Plan es erlaubt.

Das Bittere an der Sache ist, dass er nicht berauscht genug ist, um zu vergessen, was er tut. Alois Madya spürt jeden Schritt auf der steinigen Straße. Aber seine Füße sind gummiartig, und die Steine sind größer geworden, seitdem er zur Bar gegangen ist. Ihre neuen Dimensionen machen sich über ihn lustig und lassen ihn stolpern, aber sie tun ihm nicht weh. Alois versucht, sich zu erinnern. Tun die Steine das jedes Mal, wenn er von der Kneipe nach Hause geht? Wieder und wieder steht er auf, beschimpft die Steine, die ihn hintergehen, indem sie auf die Größe vor dem Sturz schrumpfen. Dann verspotten sie ihn mit ihrer Kleinheit. Alois sagt sich, dass er nicht reagieren wird wie der Minister der Regierung: Er wird nicht weinen. Er wird es ohne Tränen nach Hause schaffen, auch wenn seine Tochter ihn nicht respektiert und seine Frau ihn so wenig mag, dass sie Kuda wegen ihres Verhaltens nicht zur Rede stellt. Mrs Madya hat ihre Tochter lediglich ein paarmal halbherzig ermahnt: »Hör auf das, was dein Vater sagt, schließlich ist er der Mann im Haus!«

Die Nachmittagsluft brennt heiß auf die kleinen Locken von Alois. Die Haare treiben die Hitze in die Wurzeln und tief in seinen Schädel. Dort schimmert und lodert sie wie die Sonne auf dem harten Boden des Dorfes. Das gleißende Licht blendet ihn.

Im Hof der Madyas steht Kuda vor der Ablage für das Geschirr. Blasse Grashalme treiben aus dem Boden um die Füße des Mädchens, irgendwie gedüngt von dem seifigen Wasser und den kleinen Stückchen *sadza*, die die Frauen aus der Schüssel werfen, wenn sie mit dem Spülen fertig sind. Sie neigt sich über eine andere junge Person. Kudas Finger arbeiten fleißig und fachkundig im Haar ihrer Freundin.

Alois betritt den Hof und sieht seine Tochter. Er befiehlt dem Boden, stillzuhalten, und der gehorcht. Alois stellt fest, dass er breitbeinig stehen kann. Er nagelt seinen Schwerpunkt in die Luft. Die Luft hält ihn. Alois fällt nicht um. Er starrt seine Tochter an.

»Kuda!«, sagt Alois.

Die junge Frau reagiert nicht.

»Kuda!«, sagt Alois noch einmal.

Als seine Tochter ihn nicht ansieht, kann Alois erfolgreich den rechten Arm heben, aber die Finger verweigern den Gehorsam und hängen schlaff nach unten.

Kudas Freundin wirft verstohlen einen Blick auf ihn und kichert. Es ist das Mädchen Tabitha. Sie trägt das gelbe Kleid.

»*Iwe!*«, ermahnt Kuda Tabitha und zieht an den Haarverlängerungen, die sie flicht.

Kuda mustert ihren Vater, ohne den Kopf zu heben.

Seine Hose ist trocken. Kuda seufzt. Sie traut sich nicht, ihm zu sagen, dass Tabitha ihr einen Dollar dafür zahlen wird, dass sie ihr Zöpfe flicht, damit ihre Frisur zu dem neuen Kleid passt, das ihr der Lkw-Fahrer vom Flohmarkt in Mosambik mitgebracht hat. Kuda befürchtet, dass ihr Vater das Geld haben will. Wenn er sagt, »Gib es mir«, wird sie es ihm geben müssen. Doch sie wünscht, er würde mehr Interesse dafür zeigen, wie sie und ihre Mutter den Haushalt am Laufen halten. Sie gibt ihrer Mutter Geld für das Essen. Zudem spart sie, um ihrem Vater etwas zu kaufen. Vielleicht zu Weihnachten. Sie meint, es sollte ein Handy sein, wie Baba Jo eins hat.

»Was machst du da? Es tut weh«, beschwert sich Tabitha. Sie schlägt zu fest nach Kudas Bein, als dass es spielerisch wäre, zu sanft, als dass es wehtäte.

Kuda lenkt ihrem Vater gegenüber ein.

»Guten Tag, Baba«, sagt sie. Ihre Augen sind hart, eine dünne Platte aus Metall, durch die nichts zu erkennen ist.

»Wer ist das?«, fragt Alois, obwohl er sehr wohl weiß, dass es Tabitha aus der Bar ist.

Kuda antwortet ihrem Vater nicht, erklärt ihm auch nicht, was sie denkt. Sie fragt sich, ob ihr Vater recht hat. Seitdem Tabitha am Morgen mit dem Lastwagenfahrer verschwunden war, dann zurückkehrte, ein Kleid verlangte und bekam, ist Kuda unsicher, was die junge Frau angeht. Sie hat Tabitha gebeten, mehr junge Frauen zu ihr zu bringen, die sich die Haare machen lassen wollen, von der anderen Seite des Geschäftszentrums, wo Tabitha lebt. Tabitha hat es versprochen, hat aber niemanden mitgebracht, nicht einmal Clarissa, mit der sie arbeitet. Kuda überlegt, die Freundschaft zu beenden.

Alois nähert sich seiner Tochter. Auf halbem Weg hebt er einen Ziegelstein auf.

»Kuda!«, sagt Alois. »Alle wissen, dass du deinen Vater nicht respektierst. Du bist mit Leuten zusammen, die über mich lachen. Du hörst nicht auf das, was ich sage.«

»Alle reden von diesem Respekt«, erwidert Kuda, weiterhin über Tabithas Haar gebeugt. »Sie sagen, wer entscheidet, wer respektiert werden soll? Sie sagen sogar, dass dieser Respekt keinerlei Nutzen hat, denn was ist er schon? Kann man ihn schmecken? Ist er hübsch? Kann man ihn essen?«

Alois schlägt Kuda mit dem Ziegelstein auf den Kopf. Kuda stürzt zu Boden, wehrt sich schwach. Alois fällt neben ihr auf die Knie. Wieder und wieder schlägt er mit dem Ziegelstein auf den Kopf seiner Tochter. Tabitha rennt in das Küchen-Rondavel, ums Mrs Madya zu holen. Mrs Madya kommt heraus und begreift, was passiert. Sie setzt sich wortlos auf das erhobene Fundament um die Küche. Lautlose Schauder durchfahren Mai Kudas Körper.

Schließlich gibt Kuda keinen Laut mehr von sich und rührt sich nicht mehr. Alois legt sich Kudas Kopf in den Schoß. Er umschlingt den Kopf des Mädchens und streckt die Beine. Kudas Mutter sitzt schweigend da. Obwohl er sich geschworen hat, dass er nicht weinen wird, weint Alois. Er kann nicht aufhören.

Tanz mit Gestern

Elizabeth R. S. Muchemwa

Ananias

Eine Fliege landet auf Nhamos Nase genau dort, wo das Blut getrocknet ist. In dem Versuch, sie zu verscheuchen, gelingt ihm nur, den Zeigefinger zu heben. Als wollte er die Fliege vor den Konsequenzen einer Landung auf verbotenem Gelände warnen. Es ist nahezu komisch. Normalerweise würde ich lachen, doch diese Mauern verbieten es. Nach einer scheinbaren Ewigkeit fliegt die Fliege zu einer Mauer. Sie verschwindet in dem Muster aus Exkrementen, die auf der dreckigen Oberfläche verschmiert sind.

Eine sanfte Brise weht durch einen kleinen Spalt im Fenster hoch oben, unterhalb der Decke. Es stinkt. In meinem Magen schwimmt alles hin und her, aber ich schaffe es, die Galle zurückzuhalten. Ich schaue mich um auf der Suche nach dem Ursprung des fauligen Geruchs. Wir haben nicht ausreichend gegessen, um den Eimer in der Mitte des Raums mit Inhalt zu füllen. Der Gestank kommt von woanders. Ich schaue mich nach der Quelle um. Es ist dunkel und düster, ich muss blinzeln.

Nhamos Stöhnen lenkt mich ab. Ich gehe hinkend zu ihm. Er hat nichts gesagt, aber ich weiß, dass es an der Zeit ist, seine Lage zu verändern. Ich helfe ihm dabei, sich umzudrehen, achte darauf, ihn nicht zu berühren, wo es ihn schmerzt. Es ist nicht einfach. Unsere Körper sind ein Minenfeld von Schmerzen. Ich habe ihn halb umgedreht, als ich sie sehe. Ich lasse Nhamo vor Ekel beinahe los. Mit meinem großen Zeh ziehe ich den Rest einer

Ratte zu mir, und dann bringe ich Nhamo in eine bequeme Lage. Ich neige mich vor, um die Ratte aufzuheben. Sie ist nur teilweise verwest und fällt nicht auseinander, obwohl sie schleimig ist.

Es müssen Stiefel zur Zelle gestampft sein, Ketten müssen gerasselt haben, aber ich höre nichts, bis die Eisentür zuknallt. Jetzt sind zwei Männer im Raum. Einer von ihnen spricht. Der andere stößt mich mit seinem Schlagstock in den Rücken, mehrmals. Es ist dieser Hanes.

Er fragt:»He, K*ff*r, was hast du da, hmm, denkst wohl an Flucht, was?« Als ich nicht antworte, knurrt er mich an:»Dreh dich um!«

Etwas stimmt nicht mit der Größe des Raums. Sie verändert sich, wie sich auch die Männer auf so vielfältige Weise verändern. Deswegen können sie in dieser Zelle stehen, so nah, ohne zu sehen, was ich in der Hand halte. Deshalb sind sie so nah und können uns dennoch nicht berühren. Das ist der Grund, warum wir sie nicht festhalten können, warum wir nicht verhindern können, dass sie uns Schmerzen zufügen. Der Raum muss größer sein, als ich ihn sehe.

»Ja, dreh dich um, du verdammter Idiot.«

Ich wetteifere mit dem Schmerz. Die Männer tragen ihren eigenen Wettbewerb aus. Der Kleinere, Johannes, will nicht verlieren. Er dreht mich grob um, verrenkt mir fast den Arm, tritt mich gegen die Schienbeine. Sein Gesicht leuchtet, als ich vor Schmerz aufheule. Beinahe werfe ich ihm die Ratte ins Gesicht. Beinahe, aber Nhamo stöhnt. Ich will zu ihm gehen und ihm helfen.

Stattdessen schreie ich sie an.»Seht ihr nicht, dass er bald sterben wird? Seht ihr nicht, dass er einen Arzt braucht?«

»Wozu braucht er einen Arzt? Wer hat dir erzählt, dass die Schwarzen hier lebend rauskommen? Hmm?«

»Du Stück Scheiße, verschwende unsere Zeit nicht. Zeig's mir!«

Ich verstehe nicht, wie diese Leute, die uns hier festhalten, nicht sehen können, was ich im Dunkeln deutlich sehe. Ich kann sehen, dass sie Angst haben. Aber ich weiß nicht, wovor sie Angst haben, denn niemand kann Angst vor einer toten Ratte haben. Ich weiß, dass sie vor mir keine Angst haben. Wie kann ich für sie in diesem Moment in dieser Zelle eine Gefahr darstellen?

Langsam hebe ich die Hand, bis sie auf Höhe der Augen des Kleineren ist. Sie weichen beide vor dem Gestank zurück. Sie lachen amüsiert, als sie mich in ihre Mitte nehmen. Ich fühle mich nackt. Ich bin nackt.

»Was wolltest du damit, Mr Politkommissar? Sie essen? Ein Juju für einen Sieg in diesem Krieg machen? Hä?«, sagt Hanes.

»Hast du Hunger?«, fragt Johannes.

»Ich sag dir was, deine Leute draußen sind im internationalen Fernsehen und behaupten alles Mögliche über uns. Aber sie lügen. Wir sind fair.«

»Wenn du sie wirklich essen willst, werde ich dich nicht davon abhalten.«

»Na los. Iss sie«, sagt Hanes leise.

Er schlägt mich auf das rechte Knie. Schmerz lodert auf, alter Schmerz und neuer. Ich konzentriere mich auf einen Fleck auf der Mauer über ihren Köpfen.

»Wohin schaust du? Es gibt keinen Gott«, sagt Johannes leise. »Nicht für dich. Ich bin dein Gott. Und Gott sagt: ISS SIE, K*FF*R!«

Schläge prasseln auf mich ein. Dieses Mal gibt es nur die Konzentration auf die Wut, die sich aufbaut. Sie flackert und lodert, bis sie eine rot-weiße heiße Wut ist, die alles in mir klärt. Doch Schläge treffen mich überall. Ich öffne den Mund. Die Worte, die ich sagen will, laufen vor mir davon.

Die Ratte hängt über meinem Mund.

Nein, sagt mein Kopf. Ich schließe den Mund. Hanes stößt mich in den Rücken. Der Schlag mit dem Schlagstock vibriert durch meine Knochen bis ins Mark. Johannes versucht, mir die Ratte zu entreißen. Ich halte sie fest. Schweiß gleitet von meinem Kopf über mein Gesicht und meinen Körper. Müdigkeit überwältigt mich. Ich habe letzte Nacht kaum geschlafen.

Hanes zieht meinen Kopf nach hinten und versucht, mir gewaltsam den Mund zu öffnen. Johannes verdreht meine Hand, bis die Knochen knirschend gegeneinander reiben. Meine Finger öffnen sich, und die Ratte fällt mir in den Mund. Sie treten zurück und sehen zu. Tränen treten mir in die Augen und vergrößern meine Demütigung. Schleim sammelt sich in meiner Nase und tropft langsam heraus. Breitbeinig, mit einem Lachen, das in ihren Bäuchen widerhallt, beobachten sie jede meiner Bewegungen.

Nhamo hat aufgehört zu stöhnen. Ich weiß nicht, ob er zusieht oder nicht. Später wird er mir erzählen, dass ein Lichtstreifen durchs Fenster auf mich fiel, dass ich ruhig und gelassen wurde und sogar unsere Wärter nur noch ehrfürchtig dastanden und in die Stille schnauften. Aber ich will es immer noch nicht glauben. Meine Zunge und mein Mund weichen vor dem nassen, verfaulten Fleisch zurück, das bereits von Schimmel zerfressen ist. Meine Nase zieht sich von dem Ansturm der Gerüche zurück. Ich schließe die Augen und lasse es einfach geschehen. In der Zelle ist es still, und nichts bewegt sich außer meiner Kehle, die sich öffnet und schließt.

Die Fliege landet auf meiner Stirn und fliegt erst wieder weg, als ich nach ihr schlage. Zuerst übergibt sich mein Körper nicht. Dann beginnen die Schläge. Mein Kopf wird schwerer als der Rest meines Körpers. Der Inhalt meines Magens steigt auf, brennt wütend in meinem Hals. Die Kotze schießt aus mir heraus, nimmt die Ratte mit, die in meinem Mund gefangen ist. Meine Kotze spritzt auf die Kleider der Wärter und verschmutzt ihre glänzenden Lederschuhe. Ein bisschen davon fällt mir vor die Füße. Sie treten und schlagen mich weiter. Es gibt kein Licht mehr. Die Mauern lösen sich zu Punkten auf, die bald zu nichts verlöschen.

Ein Freund hat mir einmal erzählt, dass Rache süß schmeckt, bevor sie verübt wird, doch einen bitteren Nachgeschmack hinterlässt. Sie mag bittersüß sein, aber sie ist stets magisch. Ich sage, dir wurde Unrecht zugefügt, füge auch du Unrecht zu. Punkt.

Ich hatte alles zu verlieren, als mich ein schwarzer rhodesischer Soldat aus dem Bus holte und mir vorwarf, ein Terrorist zu sein. Er war es, der den weißen Soldaten geholfen hat, mich wegzubringen und einzusperren. Fünf Jahre später in diesem neuen Simbabwe. Ich habe nichts, aber alles zu verlieren. Damals lernte ich Nhamo kennen, der nichts hatte und alles verlor, denn schließlich nahmen sie ihm das Letzte, das er noch hatte, sein Leben. Jetzt, fünf Jahre später im neuen Simbabwe, bin ich auch so. Ich habe nichts, worüber ich sprechen könnte, aber alles zu verlieren.

Es gibt Möglichkeiten, Dinge herauszufinden, die man wissen will. Ich fand den Namen des schwarzen rhodesischen Soldaten heraus, Moyo, und jetzt sitzt er auf der anderen Seite des Raums an der Bar. Ja, dieser Moyo fläzt sich auf dem Barhocker und hält mit seinen Kumpeln ein politisches Treffen ab. Er hat mich noch nicht gesehen. Er weiß nicht, dass ich gekommen bin, um ihn zu kriegen. Sie sind nur zu fünft: ein Mann mittleren Alters, zwei Jungen, einer von ihnen fast ein Mann, und zwei junge Mädchen. Ein Lied dröhnt aus den Lautsprechern, einer in jeder Ecke des Raums. Es heißt, der Sänger hat genügend Talent, um es in die 90er und weiter zu schaffen. Er singt ein Lied über den Freiheitskampf, als ob er dabei gewesen wäre. Alle nicken im Rhythmus, auch Moyo. Ich habe immer vermutet, dass sich nicht viele graue Zellen zwischen seinen Ohren befinden. Hierherzukommen, in unser Territorium, mit so gut wie keiner Unterstützung im Schlepptau, heißt, den Tod zu riskieren.

»Genosse, wenn dir jemand Ärger macht, dann sagst du's mir, ja? Ich kümmere mich drum, okay?« Tindo schüttelt mir wild die

Hand, als er es mir noch einmal versichert. Er ist ein begeisterter Jugendlicher, der in der Partei aufsteigen will. Ich nicke zerstreut. Seit ich vor langer Zeit entführt wurde und wieder aus diesem rhodesischen Gefangenenlager freigekommen bin, bin ich für die hiesige Jugend zu einem Helden geworden, zu einer Legende.

»*Shuwa*, Genosse! Sag uns, wenn du einen dieser Hunde siehst, und wir kümmern uns drum. Wir alle wissen, dass du für die Partei gestorben bist«, sagt der Junge Tindo.

»Nein, nicht für die Partei, sondern für das ganze Land, *shamwari*«, ruft Gidza von der anderen Seite der Bar. Die fünf fremden Gäste verstummen und blicken ihn an.

Es stimmt. Ich bin gestorben. Ein großer Teil von mir ist in den Jahren des Kampfes gestorben. Dieser Verräter Moyo zückt einen weiteren Zwanzig-Dollar-Schein. Ich schaue ihn nicht an. Ich weiß nicht, wie ich ihn sehen soll.

Tindo bezieht neben mir Position, ohne dass ich ihn darum gebeten hätte. Er legt mir die Hand auf die Schulter. Das passiert, wenn man ein Mann des Volkes ist. Die Leute glauben, dass du ihnen gehörst. Ich habe nichts gegen *mpfana* Tindo. Er ist die richtige Sorte. Ich nehme es leicht.

Das Geplänkel zwischen Gidza und Tindo geht weiter und wird hitzig. Sie reden, als würden sie sich mit Politik auskennen, jedes Argument lächerlicher als das vorherige.

Etwas in mir zerbricht. Der Tod tut das immer wieder, überrascht mich. Ich knalle die Bierflasche auf den Tisch, schaue mich um. Moyo ist gegangen. Tindo fragt mich, was los ist. Ich höre ihn nicht. Ich entdecke Timothy, einen der Jungen, die bei Moyo waren. Er geht zur Tür und auf den Parkplatz hinaus. Ich weiß, dass es nie mehr einen anderen Zeitpunkt geben wird, nur diesen jetzt. Ich laufe ihm nach durch die Tür. Draußen werde ich langsamer und folge ihm.

Ich gehe über den Parkplatz. Ein Stein rollt über den Betonboden. Ich drehe mich um, die zerbrochene Flasche bereit in der

Hand, und dann sehe ich ihn. Sein Bauch ist nackt. Er torkelt, als würde ihn die Schwerkraft von einer Seite zur anderen stoßen. Ich muss nur ein bisschen näher treten, und es wird passieren. Er wird es nahezu selbst tun. Mein Herz schlägt schneller, Blut füllt meinen Kopf. Schweiß läuft mir in die Augen, und ich sehe nur noch die Gestalt vor mir. Ich trete auf sie zu. Ich bin bereit, aber eine Faust trifft mich am Kiefer. Seine Gefährten haben die Gefahr gespürt. Sie zerren ihn davon in die Dunkelheit.

Timothy

Die Verriegelung des Kofferraums gräbt sich in meinen Rücken. Der Schmerz durchfährt mich immer heftiger jedes Mal, wenn wir durch ein Schlagloch rumpeln. Das Sackleinen kratzt Haut von meinem Gesicht, wenn ich versuche, saubere Luft zu atmen. Andere widerliche Gerüche vermischen sich mit dem Chemikaliengeruch, den der Sack ausströmt.

Mir kommt es vor, als ob wir jetzt schon mindestens eine Stunde über diese Straße fahren. Ich spüre, dass das Bein, auf dem ich liege, taub wird. Das tote Gefühl breitet sich in meinem Körper aus wie Gift. Ich bewege mich. Blut lässt Erleichterung in mein Bein fließen. Das Gift wirkt erneut, dieses Mal in meiner Schulter. Die Verriegelung zerrt an meinem Rückgrat. Ich halte den Atem an, wann immer ich höre, dass sich ein anderer Wagen nähert. Ich atme erst wieder, wenn das Motorengeräusch in der Ferne erlischt und alle Hoffnung mit sich nimmt, dass jemand in den Kofferraum schaut und mich rettet.

Ich werde nie begreifen, woher sie wussten, dass ich allein nach Hause zurückgehen wollte. Nichts, was gestern Abend passiert ist, wirft Licht auf die Lage.

Nachdem ich am Abend vor zwei Tagen mit meinem Bruder und seinen Freunden Bier getrunken hatte, beschloss ich, nach Hause zu gehen. Es war mondhell. Ich hatte einiges getrunken, war aber zuversichtlich, den Weg nach Hause zu finden. Mein

Bruder war hartnäckig, half mir zur Tür und bot an, mich zu begleiten. Ich schrie ihn an, er solle erwachsen werden und die Geistergeschichten, die Frauen erzählen, vergessen. Vermutlich machte er sich Sorgen, dass ich dem Geist begegnen würde, der angeblich nachts sein Unwesen im ganzen Township treibt. Ich pfiff eine Melodie aus meiner Schulzeit, als ich mich über die Ebene schleppte. Ich stieg auf einen Ameisenhügel, schaute mich um und erkannte in der Ferne mein Zuhause. Ich stieß einen zufriedenen Schrei aus und setzte den Weg fort. Ich strauchelte und stürzte. Auf dem Boden spuckte ich Erde und trockenes Gras aus und rief: »Tobias, das ist nicht lustig. Ich glaube nicht mehr an Geistergeschichten.«

Noch während ich schrie, merkte ich, dass ich über etwas gestolpert war. Ich wollte wieder aufstehen, als ein Stiefel auf meine Füße niedersauste und mich daran hinderte. Männer packten meine Hände und fesselten sie auf meinem Rücken. Sie verbanden mir die Augen mit einem Lumpen, der nach Paraffin stank. Sie hielten mich am Boden fest und sprachen während der ganzen Zeit kein Wort, daher wusste ich, dass diese Leute kein Spiel spielten. Ein Wagen kam auf uns zu. Ich erwartete, dass sie davonliefen, doch der Wagen blieb mit laufendem Motor neben uns stehen. Hände packten mich an Füßen und Schultern, hoben mich hoch und warfen mich auf die Ladefläche eines Pickups. Zwei oder drei Personen stiegen ein und setzten sich neben mich. Ich hörte, wie hartes Holz auf Fleisch traf, als sie Gewehre auffingen, die ihnen zugeworfen wurden, und eine Stimme sagte: »Wenn er Ärger macht, erschießt ihn.« Daraufhin war nicht mehr an Flucht zu denken.

Mein Kopf schlug auf dem Metallboden des Pick-ups auf, während der Wagen über holprige Straßen fuhr. Einmal hob ich den Kopf, um meinen Nacken zu entlasten. Jemand schlug mir mit dem Gewehrkolben auf den Kopf, und ich verlor das Bewusstsein.

Als ich wieder zu mir kam, waren die Fesseln gelöst. Ich lag mit pochenden Kopfschmerzen in einer schmutzigen Zelle. Alles, was ich besaß, darunter meine Schuhe und mein Gürtel, war mir genommen worden. Die Zelle war verschlossen mit einer Metalltür mit einer kleinen rechteckigen Öffnung, groß genug nur für eine Hand. In der Mauer darüber befand sich eine weitere Öffnung, quadratisch und vergittert.

Ich war nicht lange wach, als die Zellentür geöffnet wurde. Ich dachte, ich würde freigelassen, stattdessen erwarteten mich Schläge und Tritte. Ich wurde hinausgeführt, mit Handschellen gefesselt, ein Sack wurde über meinen Kopf gezogen, und dann wurde ich in den Kofferraum eines Wagens gestoßen. Sie trugen Masken. Ich fragte sie, warum ich entführt worden war, aber sie antworteten nicht.

Das Schweigen. Es ist das Schweigen, das mir die meisten Sorgen bereitet. Ich frage mich nicht zum ersten Mal, ob ich lebend wieder herauskomme. Tränen brennen in meinen Augen bei dem Gedanken, dass ich meine Mutter vielleicht nie mehr wiedersehen werde. Ich frage mich, wo ich jetzt wäre, wenn ich einen anderen Weg eingeschlagen hätte. Meine Freunde rieten mir, nicht in die Politik zu gehen. Ich will nicht daran denken, dass sie recht hatten. Ich versuche, mich an etwas festzuhalten, irgendetwas in meiner Erinnerung, das mich vor diesen Gedanken beschützt. Der Wagen hält an. Mein Herz schlägt schneller, und mein Mund zittert, als ich beschließe, was ich tun werde, sobald der Kofferraum geöffnet wird.

Soweit ich es mitkriege, steigen nur zwei Personen wieder ins Auto. Zu meiner Enttäuschung fährt der Wagen weiter. Mit höherer Geschwindigkeit. Er biegt ab und bremst. Türen werden geöffnet und zugeschlagen. Schritte auf dem Boden, die näher kommen. Tageslicht flutet den Kofferraum, als er geöffnet wird. Sie nehmen mir den Sack ab, und die Sonne blendet mich. Ich blinzle rasch und atme tief die saubere Luft ein. Als sich meine

Augen an das Licht gewöhnen, erkenne ich den Mann, der mich ansieht. Es ist Ananias, der hinter Moyo her ist, mit dem ich manchmal trinke. Seit dem Angriff habe ich ihn nicht mehr gesehen. Er steht ein paar Schritte entfernt, Gewehr in der Hand, wachsam. Ich spüre nur die Trockenheit in meinem Mund und ein Prickeln in meinem Hintern.

»Komm raus«, befiehlt der andere Mann, ein Jugendlicher. Er packt mich am Arm und zerrt mich aus dem Kofferraum. Kaum lässt er mich los, falle ich. Der Sturz scheint lange zu dauern, und als ich aufpralle, landet meine Stirn auf einem spitzen Stein. Es fühlt sich an, als wäre ein Speer in meinen Kopf eingedrungen, und ich schreie auf. Blut fließt an meiner Nase entlang. Der Jugendliche tritt mich in die Rippen. »Steh auf!«, schreit er. Ich beiße mir auf die Lippen, um nicht wieder zu schreien, und schmecke Blut auf der Zunge. Der Jugendliche sieht mich mit toten, blutunterlaufenen Augen an. Er will mir einen weiteren Tritt versetzen, als Ananias ihm deutlich signalisiert, mir stattdessen aufzuhelfen.

Als ich stehe, wird mir schwindlig. Ich schaue mich um. Weit vorn ist etwas. Es sieht aus wie ein Waldrand. Ich blicke auf meine Füße. Sie stehen auf einem schmalen Pfad. Das Gras ist nicht hoch. Ich kann weit sehen. Jemand hat die Felder links und rechts gepflügt. Es gibt auch keine Maisstängel, um sich zu verstecken. Ananias entsichert das Gewehr und zielt auf mich. Er nickt dem Jugendlichen zu, der den schmalen Pfad entlanggeht zu einer Baumgruppe in der Ferne.

»Folge ihm«, sagte Ananias kurz angebunden. Seine Stimme ist tonlos, aber unnachgiebig.

Der gewundene Pfad ist mit kurzem dickem Gras bewachsen. Dornen stechen in meine nackten Füße. Bald humple ich. Nach einer langen Weile erreichen wir die Baumgruppe und gehen zu einer kleinen Lichtung in der Mitte. Dort befinden sich die Überreste eines vor Kurzem gelöschten Feuers. Eine alte Ziege ist mit einem langen Strick an einen Baum gebunden. Daneben schnappt ein Wachhund nach ihrem Schwanz. Ananias ruft den Hund. Er hüpft auf und ab und bellt, als er leise mit ihm spricht. Die Ziege hört kurz auf, Gras zu kauen. Sie sieht mich an. Ihre glasigen Augen sprechen zu meinem Innersten, als begrüßte sie etwas, das demnächst gefressen wird. Ich schlucke, um die Panik in meiner Brust hinauszuzögern. Ich verstehe, dass es hier keine Vergebung gibt.

Ananias

Das Blut tropft aus dem Herz auf die Spitzen der Grashalme und bildet eine Pfütze im Muster der unterschiedlichen Grasarten und -längen. Dieser Timothy weint, sein Stöhnen entspricht dem der sterbenden Ziege. Der Hund Ruregerero leckt das Blut, das aus der Ziege tropft. Tindo verjagt ihn. Sie wissen überhaupt nichts, diese Kinder von gestern! Er wird zerbrechen.

Ruregerero geht zu diesem Timothy und leckt das Blut aus seiner Wunde. Die Erinnerungen kehren zurück. Ich versuche, sie aufzuhalten, doch sie überfluten mich. Es ist das Blut. Er erinnert sich nicht an seinen Onkel, aber ich. Wie immer, wenn ich mich an Nhamo erinnere, erinnere ich mich an die Ratte, den Wunsch, mich zu übergeben. Oder vielleicht möchte ich mich übergeben, weil ich mir Nhamos Neffe in Gesellschaft von Moyo vorstelle.

»Wie kannst du mit diesen Leuten arbeiten, die deinen Onkel umgebracht haben?«, möchte ich den Jungen fragen, ihn wieder treten, doch ich halte mich zurück.

»Diese Weißen«, fahre ich so ruhig wie möglich fort. »Glaubst du, dass sie dich mögen und als einen der ihren sehen? Das werden sie nie tun.«

Der Dreckskerl sagt immer noch nichts.

»Sie lassen dich ihr Geld schmecken, und du kriegst Geschenke wie nie zuvor, also glaubst du, dass du das ganze Blut, das im

Befreiungskrieg geflossen ist, vergessen kannst? Regimewechsel einfach gemacht, was?«

Er schaut mich an, und ich verstehe nicht. Sein Blick ist noch immer trotzig. Ich kämpfe gegen den Drang, seine Augen aus den Höhlen zu drücken. Tindo sammelt Feuerholz. Ich blicke auf die Uhr. Es ist nach sechs Uhr. Der Bahnhof, der eine Stunde Fahrt entfernt ist, wird uns nur um zehn Uhr zugänglich sein. Es ist noch Zeit.

Tindo macht ein Feuer. Ich häute die Ziege. Ich hole Ruregerero weg von Timothys Wunde, indem ich ihm etwas von den Eingeweiden der Ziege zuwerfe. Er knurrt, als er sie frisst. Als das Fleisch zum Braten fertig ist, lasse ich Tindo übernehmen. Ich ziehe meine Pistole aus dem Holster und schieße in die Luft. Ich schaue zu Timothy, und er starrt mich an. Ich zerre ihn nahe ans Feuer und platziere ihn so, dass seine Füße den großen Flammen ausgesetzt sind. Er wackelt mit den Zehen. Ich halte seine Beine fest.

»Ihr seid komisch. Ihr steht da und erzählt den Leuten, wie ihr bis zum Ende für ein besseres Simbabwe kämpfen werdet. Aber wenn es so weit ist, dass ihr Helden sein sollt, duckt ihr euch. Komm schon, sei ein Held für dein Land. Sag mir, was ich wissen will.«

»Nie«, prustet er und verspritzt Speichel auf mich.

Tindo hat die Eingeweide aufs Feuer gelegt und hat nichts zu tun. Ich bitte ihn, mir den Falanga-Stock zu bringen. Er hält Timothys Beine fest, und ich schlage auf die Sohlen seiner verbrannten Füße. Er heult, und Ruregerero bellt.

»Du kannst nach deinen Vorfahren rufen, so viel du willst. Sie werden dich nicht retten. Ich bin der Einzige, der zwischen dir und deiner Freiheit steht. Vergiss das nicht«, sage ich, als ich Timothy zum Baum ziehe. Dann nehme ich das Seil, das mit dem Blut der Ziege getränkt ist. Es fühlt sich nicht richtig an, doch ich will weitermachen, sonst würde ich auf das Vermächtnis spucken, das Nhamo ihm hinterlassen hat. Die Lektion muss gelernt werden, und sie ihm zu erteilen, wird der Partei nützlich sein. Ich spanne das Seil und fessle ihn, sorge dafür, dass er die Nässe des Bluts spürt. Dann essen Tindo und ich. Timothys Kopf lehnt am Baumstamm. Er sieht zu, und Speichel tropft ihm übers Kinn. Das ist gut. Er muss lernen, was es heißt, etwas zu wollen und nicht zu kriegen.

Timothy

Mutter will hinausgehen. Es regnet. Das Holz, das im alten Herd brennt, geht zu Ende. Vater ist es gleichgültig. Er hatte sein Bier und das *sadza* von gestern Abend. Er rülpst, erfüllt die Morgenluft mit dem Geruch nach Bier und verdautem Essen. Töpfe wackeln auf der Eisenplatte des Herds, der mit Holz und Holzkohle geheizt wird, als Mutter sie daraufstellt und herunternimmt. Das Feuer zischt, die Flammen lodern höher, als sie die letzten Stücke Holz verschlingen. Der Regen trommelt auf das Blechdach und gegen die Tür, tropft herein und bildet vor dem Eingang eine Pfütze.

Mutter will mehr Holz, um Wasser zu kochen. Sollte jemand an die Tür klopfen, will sie Tee bereit haben, der zusammen mit den Plattitüden der Gastfreundschaft angeboten wird, wie ihre Kinder im Lauf der Jahre gelernt haben. Vater sitzt auf dem Hocker, dem einzigen Hocker im Haus, Beine gespreizt, ziemlich nah am Herd. Der Herd steht an der Mauer der Küche, nicht in der Ecke, neben ihm ein Schrank aus Metall. Wann immer Mutter die Töpfe auf dem Herd austauschen will, muss Vater aufstehen und sie vorbeilassen. Vater streckt die Beine, um sie in der abkühlenden Hitze zu wärmen.

Mutter flüstert mir zu: »Timothy, *mwanangu*, geh näher zum Ofen. Du wirst dir eine Erkältung holen. Frierst du nicht?«

»Nein.« Mehr bringe ich nicht heraus. Ich sage nicht viel, seitdem mich der Mann, der hinter Moyo her ist, am Leben gelassen hat. Mutter hört es nicht, weil sie sich wieder am Ofen zu schaffen macht, die letzten kleinen Zweige hineinschiebt, die bald verbrannt sind.

»Vater von Tobias, hilf ihm. Er schafft es nicht allein.«

Mein Rücken fühlt sich an, als würde er nachgeben, als Vater mich vom Boden hebt. Die dünne Decke gleitet zu meinen Füßen hinunter. Ich zucke zusammen. Vater lockert seinen Griff. Ein Paar Stiefel, die zu unserem Haus stapfen, lässt alle innehalten. Mutter steht neben dem Ofen und starrt Vater an; ihr springen fast die Augen aus dem Gesicht. Vater sieht sie an. Seine Augen sind gerötet und verraten nichts. Er schlurft zur Ecke neben der Tür und nimmt den Griff der Hacke, die wir zur Sicherheit dort abstellen.

»Wer wird das sein?« Mutter kommt kurz aus ihrer betroffenen Benommenheit. Vater schüttelt langsam den Kopf, damit sie still ist.

Wenn sie gekommen sind, um mir ein Ende zu machen, dann sollen sie kommen. Ich bin müde. Das denke ich. Das Geräusch der Stiefel wird lauter, nähert sich der Küche. Dann klopft jemand zweimal schnell an die Tür.

»Wer ist da?«, krächzt Vater.

Mutter geht zum Vorhang vor dem Küchenfenster. Sie schreit leise auf, seufzt und geht zur Tür. Vater tritt rasch zwischen sie und die Tür. Mein Herz schlägt schmerzhaft.

»Was tust du da?«, flüstert er verzweifelt. »Meinst du, es ist vorbei?« Er drückt sich gegen die Tür, schubst Mutter heftig weg.

»Er sieht aus wie Tobias«, sagt Mutter.

Sie schiebt Vater aus dem Weg, zieht die Tür auf, und dort steht Tobias unter einem Schirm im Regen. Der untere Teil seiner Hose ist durchnässt. Ich habe Bhudhi Tobias seit dem Abend in der Bar, als ich allein nach Hause gegangen bin, nicht mehr gesehen. Mutter zieht ihn rasch in die Küche, und Vater blickt nach rechts und links, um sich zu vergewissern, das niemand in den Schatten lauert. Tobias schließt den Schirm und legt ihn neben die Schwelle. Vater lehnt den Griff der Hacke an die Tür. Er kehrt zu seinem Hocker zurück und setzt sich.

»Ich bin gekommen, sobald ich davon gehört habe«, sagt Tobias, der mitten in der Küche steht.

Er ringt die Hände. Seine Lippen zittern. Er beißt sich auf die Unterlippe. Ich habe meinen Bruder noch nie so gesehen. Er schaut mich an, als hätten der Tod und ich gerade miteinander gesprochen und wären zu einer Übereinkunft gekommen.

»Ist alles okay? Niemand hat dich schikaniert? Niemand hat dich kommen sehen?«, bombardiert ihn Vater mit Fragen.

Mutter holt drei Blechteller und stellt sie auf den Boden. Sie nimmt den Deckel von dem großen schwarzen Topf, der randvoll mit *sadza* gefüllt ist, und verteilt große Portionen auf den Tellern. Sie legt den Deckel wieder auf den Topf und stellt ihn zurück auf den Ofen. Mutter gibt Fleisch und Gemüse in Erdnussbuttersoße zu der *sadza*. Ich bin so müde, dass ich eindöse.

Bhudhi Tobias weckt mich sanft. Er sitzt mit einem Teller *sadza* auf dem Boden. Vater hilft mir auf zum Sitzen, achtet darauf, nicht an den Stichen zu ziehen, und hält mich fest, während Bhudhi mich füttert. Mutter lässt den Teller fallen, den sie in der Hand gehalten hat, und er prallt mit einem lauten Knall, der die Stille erschüttert, auf dem Boden auf. Sie beginnt zu weinen.

Ananias

Viele Leute kommen, um uns zu beglückwünschen. Wir sind die Sieger. Immer wieder wird uns Alkohol angeboten, und plötzlich werden neue Freundschaften geschlossen. Endlich ist es so weit. Gidza redet noch immer vom Land und nicht von der Partei, aber auch er ist gekommen und gratuliert mir. Die Luft ist erfüllt von dem Geruch nach Schweiß, Staub, Körpergerüchen und einer klebrigen Mischung aus billigen und teuren Parfums. Jetzt bin ich da. Ich stehe nicht länger im Schatten. Es war die

Episode mit dem Jungen, die dazu geführt hat. Es ist ein großer Dienst für die Partei, ihnen Angst einzujagen, und ich war nicht aufzuhalten. Maziva drängt sich durch die Menge und nimmt mich zur Seite.

Jemand ruft: »Lange lebe die Partei!« Alle stimmen lauthals mit ein, versuchen verzweifelt zu beweisen, dass sie nur der Partei verbunden sind und nur für sie leben. Ich habe es schon bewiesen.

Timothy und Ananias

Das Bild des Präsidenten starrt herunter auf die Versammlung. Es heißt, der Geist des Präsidenten lebt in dem Bild. Die Augen funkeln und verfolgen alles in allen Richtungen. An dem langen rechteckigen Tisch stehen Reihen über Reihen Stühle. Sie sind besetzt von Anzügen in unterschiedlichen Schattierungen von Schwarz, Grau, Braun und Blau, den Abgeordneten des Parlaments. Die Luft im Raum ist erfüllt von unausgesprochenen Dingen. Dinge, die nie über Lippen kommen können, schweben unter der Decke. Der Co-Vorsitzende von Timothys Partei macht einen vorbereitenden Zug in unserem Friedensvertrag, schiebt Papiere herum. Sein Gegenpart, der Co-Vorsitzende der anderen Partei, räuspert sich.

»Wir hatten unsere Differenzen in der Vergangenheit«, sagt der Co-Vorsitzende.

Ein Abgeordneter in der letzten Reihe grinst und murmelt etwas. Seine Kollegen kichern. Der Co-Vorsitzende scheint einen Augenblick lang den Faden verloren zu haben, doch in seinen Augen glimmt ein metallischer Glanz und spricht von der Beharrlichkeit, die im Kampf und aus Begehren entsteht.

»Genossen, wir wollen einander respektieren«, sagt er. »Wir sind alle hier in diesem erlauchten Haus, weil wir etwas zum Wiederaufbau unseres Landes beitragen können.«

»Wir sind nicht deine Genossen. Glaub bloß nicht, dass wir jetzt Brüder sind, nur weil wir alle hier sitzen«, ruft eine Stimme aus Timothys Partei. Weitere Zustimmung wird laut, doch Timothy schweigt.

»Das ist nicht die Einstellung, die unser Land wiederaufbauen kann. Wir sind alle hier, weil wir dasselbe wollen«, sagt der Co-Vorsitzende.

Der andere Co-Vorsitzende eilt ihm zu Hilfe. Er unterstreicht die Worte seines Kollegen mit einem finsteren Blick zu dem Mitglied seiner Partei, das ihn unhöflich unterbrochen hat. Der Co-Vorsitzende, der spricht, dankt seinem Kollegen. Bald widmen sie sich der Tagesordnung. Timothy nimmt sein Notizbuch, legt seine Ellbogen auf dem Tisch ab und beginnt, seine Punkte aufzuschreiben.

Auf der anderen Seite des Raums betrachtet Ananias die Abgeordneten von Timothys Partei, die Opposition. Ihm liegt nicht viel an diesen Versammlungen, und besonders gereizt wird er, als alle gebeten werden, aufzustehen und eine Übung zu machen, die die Müdigkeit abschütteln soll. Stühle werden nach hinten geschoben, und die Leute weichen den Füßen der anderen aus, als sie den Anweisungen einer Abgeordneten folgen und von der Barriere des Tisches zurücktreten. Als Nächstes bittet sie alle, einen Partner aus der anderen Partei zu wählen. Alle im Raum blicken betreten drein, und keiner rührt sich. Die Abgeordnete redet ihnen gut zu, appelliert an ihre Eitelkeit, bis sie sich schließlich langsam in Bewegung setzen. In diesem Meer sanft rollender Wogen ringt Timothy mit dem Bedürfnis wegzugehen. In seiner Brust baut sich Druck auf. Er spürt, wie sich der Kofferraum wieder um ihn schließt. Er ballt und entspannt die Fäuste, reibt die Finger aneinander. Seine Handflächen sind feucht. Er schließt die Augen. Schlurfende Schritte und das beständige Gemurmel der Stimmen strömen in sein Bewusstsein und wieder hinaus. Er holt tief Luft und entfernt sich in Richtung der Tür. Vielleicht wird er auf die Toilette gehen; vielleicht wird er diesen Raum verlassen und nie wieder zurückkehren.

Ananias ist auf der Suche nach einem Partner von der anderen Seite. Sie stoßen zusammen. Timothy stolpert und stürzt beinahe. Ananias fasst seine Hand und hält ihn fest. Sofort tritt Timothy zurück, entzieht ihm die Hand. Ananias spannt die Lippen und bringt ein kränkliches Lächeln zustande. Eines Tages, denkt er, wird sein Gesicht Risse bekommen und Blut aus jedem Lächeln fließen, zu dem er sich zwingt.

Timothy gewinnt die Fassung zurück und schaut Ananias unverwandt an. Das Starren des jungen Mannes ärgert den Veteranen aus dem Befreiungskrieg, der ein gewisses Funkeln in Timothys Augen sieht. »Ich verhöhne dich«, sagt dieses Funkeln zu Ananias. Nachdem er den älteren Mann lange unverwandt angesehen hat, würdigt er, Timothy Jekanyika Mufambi, den älteren Mann mit einem Nicken. Ananias tritt vor, um sich unter die Menge zu mischen, doch Timothy legt ihm die Hand auf die Schulter und wählt ihn damit als Partner.

Nachdem die Abgeordneten Paare gebildet haben, werden sie angewiesen, einen Platz im Raum zu finden. Timothy spürt den Blick des Veteranen im Rücken, während sich Ananias darauf konzentriert, einen Fuß vor den anderen zu setzen. Der Veteran aus dem Befreiungskrieg ist nicht sicher, ob er es tun kann; doch zum ersten Mal sieht er einen Weg, den Leute wie er gehen können. Timothy sieht die Schritte, die er, Timothy, der überlebt hat, jetzt in seine Zukunft machen kann.

Hunde des Kriegs

Charmaine R. Mujeri

Ich rücke meine Sonnenbrille für meinen Auftritt zurecht und für die Sonne, die auf die Versammlung herunterbrennt. Ihr grelles Licht saugt die Feuchtigkeit aus dem Boden, saugt Schweiß aus uns allen. Der stechende Geruch von heißem Staub vereint uns, kündigt schon die Verwüstung an, die wir in dieser arglosen Gemeinschaft anrichten werden. Parteislogans prasseln auf uns ein, aber sie sind kein Trost für die Hitze, stattdessen laden sie die Atmosphäre elektrisch auf. Die Älteren sind voller Angst, die die Kriegslieder, die Waffen und der Tod, den die Waffen bringen, verbreiten. Deswegen sitzen sie pflichtbewusst in der Sonne. Der dunkelrote Staub steigt auf, raubt den Großmüttern die Luft, bis sie davon bedeckt sind. Wie Relikte einer vergessenen Zeit rühren sie sich nicht.

»Es gibt Leute, die herkommen und dir erzählen, dass dein Abgeordneter nichts für dich tut. Wer hat die neue Schule gebaut? Die neue Brücke, über die du in die Stadt fährst? Wer sorgt für die Medikamente in den Krankenhäusern, die Projekte, die du machst, um den Lebensunterhalt für dich und deine Familie zu verdienen? Wir wollen eine Universität bauen ...«

Die Stimme des Abgeordneten dröhnt weiter. Ich sah mir die Menschenmenge an, prägte mir die Ziele ein. Sie waren alle da. Alle waren sie da. Alle. Es war immer einfacher, wenn man sie nicht erst ausfindig machen musste. Ich wünschte, die Veranstaltung wäre zu Ende. Wir hatten Arbeit zu erledigen. Zuvor hatten wir nur im Schutz der Dunkelheit agiert. Jetzt taten wir es in aller Öffentlichkeit. Paradierten so professionell wie die Huren in den dunklen Straßen, stellten unsere Waren zur Schau. Sie mussten wissen, wer wir waren und warum wir gekommen waren, deswegen verbargen wir unsere Gesichter nicht. Scheitern war keine Option; dafür waren wir zu diszipliniert.

Wir trinken. Kästen mit Bier machen die Runde, wo immer wir sind, und es ist uns egal, wer es sieht. Unser Durst muss gestillt werden, was immer das ist, auch wenn es nicht Durst ist. Kein Gesetz gebietet über größere Macht als dieses ursprüngliche Gesetz, und wir respektieren nichts anderes, und aufgrund dieser Macht werden wir zum Urgesetz. Wir nehmen, was zu nehmen ist – Macht, Minen –, mit Versprechen, über die wir lachen, und wir lachen über die Folgen von alldem: Schulden, Verzweiflung, Krankheit, Ruin, der tiefe Furchen in der Erde zieht, über die wir gehen. Unsere nicht registrierten Fahrzeuge rumpeln durch diese Vertiefungen und in die Verzweiflung, die überall zu finden ist wie die Schlaglöcher, mit denen die Straßen übersät sind.

Sie sind überall, diese Löcher, die wir vermeiden und in die wir sinken, als wir in das Dorf fahren. Die Versammlung ist zu Ende. Die einfache Arbeit des Zusammentreibens beginnt. In Null Komma nichts haben wir zwei Männer im Pick-up. Sie sind mit Elektrokabeln gefesselt. Ihre Finger werden blau. Es ist uns egal, warum sollte es uns kümmern? Sie sind Dummköpfe, die für die falsche Mannschaft spielen. Wir lachen über sie. Der widerspenstige junge Mann hat mit seinen Zähnen bezahlt. Sie sollten mittlerweile wissen, dass es sinnlos ist, Widerstand zu leisten, sich gegen die Flut zu stemmen. Seine Augen sind zugeschwollen.

Nie hat jemand gefragt, ob Themba einen Führerschein hat. Er hat einfach die Rolle des Fahrers übernommen. Niemand hat es je angefochten. Der Wagen bleibt stehen. Der Gesang wird lauter und expliziter. Wir erleben den lange erloschenen Ruhm unserer Anführer, der Befreier, neu. Sie sind unsere Befreier. Wieder schwören wir, lautlos, die hart erkämpften Siege zu verteidigen, das Blut, den Schweiß, die Tränen. In diesen Tagen des Friedens ist das unser Opfer.

Eine schwangere Frau eilt zurück ins Haus, als sie uns sieht. Ansonsten kommt die erbärmliche Menschheit aus den Hütten, die das Dorf bilden. Da ist ein alter Mann, gefolgt von tollpatschigen Zwillingsjungen, verunstaltet von Pubertätspickeln. Da ist ein Mädchen. Ein Kleinkind mit einem verkrusteten Schnurrbart aus Rotz und Fliegen klammert sich an ihren Rock. Ich hasse Fliegen. Sie sind nur dort, wo etwas verrottet.

»Wo ist euer Vater, Junge? Hm? Rede!«

Mein aufgestauter Ärger ist nicht zu überhören. Ich stoße die Jungen herum, unterstreiche jedes Wort mit einem Schlag ins Gesicht. Ihr Elend könnte meins sein. Das Geheimnis liegt darin zu wissen, dass es nicht meins ist. Dieses Wissen ermöglicht das Vergnügen zuzuschauen, wie sie in der Falle sitzen zwischen zwei angeborenen Instinkten: sich entweder zu verteidigen oder sich dem Schmerz, der Demütigung zu unterwerfen. Der größere Junge hebt die Hände, um die Schläge abzuwehren. Ich schlage härter zu, um ihm zu zeigen, dass die einzige Möglichkeit, mich aufzuhalten, darin besteht, ebenfalls zuzuschlagen, und zwar fest genug, damit ich aufhöre, um nicht noch mehr einzustecken. Ich weiß, dass sie sich nicht wehren werden, und sie tun es nicht, sie versuchen es nicht einmal. Sie sind frei geborene Sklaven.

»Er ist bei der Versammlung geblieben.«

»Wozu? Warum ist er geblieben?«

Wir wissen, dass der Mann, ihr Vater, Dummkopf, der er ist, wegen des kostenlosen Alkohols geblieben ist. In diesen unsicheren Zeiten sollte ein Mann sich nie zu weit von seinem Zuhause entfernen oder seine Familie zu lange unbeaufsichtigt lassen. Er verhält sich, als wüsste er nicht, dass niemand sicher ist, solange alte Schulden nicht beglichen sind. Ich entscheide, nicht zur Versammlung zurückzukehren. Seine Familie wird für Unterhaltung sorgen, solange wir warten.

»Geh und kümmere dich um die Hure, die hineingegangen ist ...«

Die Jungen setzen sich in Bewegung, weil das Mädchen mit dem Kind-wie-eine-Ratte hineingegangen ist. Ich schaue mich um. Alte Leute schlage ich nie. Ich kann es nicht. Sie sind bereits gebrechlich vom Leben. Ihr Rücken gekrümmt vom Schmerz der vielen Jahre, die sie das Pech hatten zu leben. Geplagt von den Geistern von Freunden, Kindern, Angehörigen, die sie begraben mussten. Verfolgt von dem, was war, gequält von dem, was hätte sein können, haben sie sich abgefunden mit dem, was ist. Jeden Morgen stehen sie auf, um Schmerzen zu erleiden, und sind erleichtert, dass sie aufgewacht sind. Nein, wo ist dabei der Spaß? Nie alte Menschen. Ich schlage die Frauen. Die Frauen haben die Kinder geboren. Ich schlage die Männer. Sie haben die Frauen benutzt und ihren Samen in ihnen hinterlassen. Ich schlage die Kinder, die zu ignoranten Leuten heranwachsen.

»Lass uns sehen, wie deiner aussieht, alter Mann.«

Ich sehe zu, wie Roy sich für den alten Mann bereit macht. Die Enkelin des alten Mannes schaut hinunter in den Sand, wo sie mit ihren Brüdern gespielt hat, als wir ankamen. Sie schaut zu den Quadraten und dem halben Kreis des Himmel-und-Hölle-Spiels.

»Hast du nicht gehört?«

Roy tritt vor. Der alte Mann fummelt herum, zieht den Reißverschluss auf und lässt die pissefleckige Hose fallen. Ich lache über einen dunkleren Fleck, der sich aufgrund seines versagenden Darms ausbreitet. Seine Männlichkeit ist welk und grau. Sie scheint geschrumpft zu sein, sich in seinen Körper zurückgezogen zu haben.

Itayi ist unser Scherzbold. Er fragt sich, ob der alte Mann damit noch etwas anfangen kann. Er fragt ihn, wie es ist, es mit über achtzig noch zu versuchen. Die Jungs schließen Wetten ab.

Itayi sagt: »Großvater, da ist ein junges Mädchen. Ich wette eine Kugel, dass er dir nichts mehr nützen wird.«

Kot tropft an seinen Beinen hinunter. Wir machen uns nicht mehr die Mühe zu lachen. Beim ersten Mal lachst du nicht, dann lachst du laut, dann wird das Lachen kürzer.

»Wenn du nicht kannst, dann masturbier«, sagt Itayi.

Wir stehen herum. Der Mann gehorcht in der Hoffnung, seiner peinlichen Lage ein Ende zu setzen. Seine hektischen und halbherzigen Bewegungen erbringen kein Resultat. Wir hatten nichts anderes erwartet, doch es amüsiert uns, seine Anstrengungen zu beobachten in dem Wissen, dass sie nutzlos sind und er versagen wird. Keiner von uns hat etwas zu verlieren außer Roy. Roy ist ein Mann, der es sich gern schwer macht. Deswegen hat er gewettet, dass es der alte Mann schaffen wird. Er ist nicht willens, seine Bierration so leicht zu verlieren, und deswegen schaut er nachdenklich zur Enkelin des alten Mannes. Man sieht, wie es in seinem Kopf arbeitet.

»*Enda unobatsira sekuru vako!* Geh und hilf ihm«, sagt er zu der Enkelin.

Dreizehn, sechzehn, dieser Tage weiß man es nie. Die Mädchen scheinen schneller reif zu werden, ihre Körper werden zu Frauenkörpern, ziehen den Ärger an, der mit Brüsten, vollen Hüften und dem Blut einhergeht, wie das Feuer fliegende Ameisen anzieht, weil sie glauben, dass es Vergnügen bereitet.

Der alte Mann breitet die Arme aus, fleht.

»Tut das nicht, Männer, bitte, tut es nicht …«

Seine Bitten werden von einem Stiefeltritt auf den Mund beendet, der die verbliebenen Zähne blutig ausschlägt.

»Ein Enkelkind ist wie ein Zuckerrohr, ein süßes Ried. Iss es! Unsere Kultur erlaubt dir, sie zur Frau zu nehmen. Na los!«

»Sag ihm, was er tun soll, und wenn er's nicht tut, holen wir uns das süße Ried. Bringen ihm bei, wie es sich zu benehmen hat, wenn es einen Mann trifft.«

Ich sah, wie sich bei diesem Gedanken mehr als eine Hose blähte. Roy zieht das Mädchen hoch und betastet seine Brüste. Sie versucht auszuweichen, doch in Roys Augen brennt dieses manische Licht, das sie reglos erstarren lässt. Er befielt ihr, das Oberteil auszuziehen. Mit Roy ist es immer interessant. Er ist besser als wir alle, wenn es darum geht, sich etwas Neues auszudenken. Roy ist faszinierend, und ich lege den Kopf schief. Ich möchte nicht, dass er es erfährt, aber manchmal bin ich voller Hochachtung für seine kranke Fantasie.

Dem Mädchen laufen Tränen über die Wangen, ohne dass es einen Laut von sich gibt. Die Zwillingsjungen stehen neben dem Mangobaum. Sie sind unsichtbar, als wären sie Teil des Hintergrunds. Sie haben solche Angst, dass sie nicht mehr atmen, und mir gefällt nicht, dass sie nicht atmen. Wir atmen alle diese Luft. Auch sie sollen sie atmen. Wir sind alle gleich. Der Beweis ist, dass ihr Vater nicht da ist. Familien sind Bastarde, und Bastarde werden in Familien gemacht. Ich sehe zu, wie Roy den unsichtbaren Jungen beibringt, dass die Familie dich nicht retten kann.

Roys Großvater lebte allein, abgesehen von Trittbrettfahrern, denn niemand sonst ertrug den alten Säufer. Als der alte Mann gebrechlich wurde und die Leute anfingen zu reden, wurde Roy zu ihm geschickt, um bei ihm zu wohnen. Vielleicht war es zuvor schon passiert. Jedenfalls hörte es nicht auf, als Roy dort lebte. Nach einem Bier brachte der alte Mann seine Kumpane zum Lachen, indem er sich an Roys Zeugung erinnerte. Soldaten waren in die Siedlung des Jungen gekommen. Als sie wieder abzogen, war sie abgebrannt. Die Jungen waren tot, ebenso die Hunde, das Saatgut, die Mäuse, die Läuse und die Käfer, die die Ernte fraßen. Und die Soldaten sorgten dafür, dass die Seelen der Mädchen tot waren. Roy vergab seinem Großvater die Geschichten von Feuer, lodernden Balken, Mauern und Dächern nie, die mit einem Lachen und der Aussage endeten, dass manche Leute so gezeugt würden ... Er hasste die Scham in den Augen seines Großvaters, die Schwäche, die auf seine Schultern drückte, wenn sich der alte Mann wieder und wieder in einem Baum versteckte und Gliedmaßen, Fleisch, Knochen, Feuer und seine Tochter vor sich sah, die als tot liegen gelassen wurde, in deren Bauch jedoch ein Same aufging.

Unehelicher Sohn eines Marodeurs, Enkel eines Feiglings, sagte der alte Mann zu Roy und öffnete die Augen wieder, wenn er fertig war.

Wenn seine Kumpane schlafen gingen, wenn er die Geschichte leidenschaftlich genug erzählt hatte, zeigte der alte Mann Roy manchmal, was Männer mit Bastarden machten. Roy war nicht da, wenn sein Großvater es ihm zeigte. Nur sein Körper war da, der eins mit dem Körper seines Großvaters wurde, und wenn Roy wieder zurückkam, wusste er, dass sie keine Körper gewesen waren, sondern eine Masse Narben, Schorf, heilende, erneut aufbrechende Haut, verdrehte Sehnen und Knochen und blaue Augen. Wenn er sich nach seiner Rückkehr beruhigte, dachte Roy, dass sich sein Großvater auf diese Weise kurzfristig heilte, indem er ihm diese Lektion erteilte, und obwohl er ihn hasste, wusste Roy, dass sein Großvater unschuldig war.

Roy hat gesagt, dass ich die einzige Person bin, der er diese Geschichte erzählt hat. Ich ließ ihn also den Frieden finden, zu dem er fähig war, obwohl wir beide wussten, dass dieser Frieden nur ein paar Minuten dauern würde, höchstens eine Stunde, wir wussten beide, ohne darüber zu sprechen, dass es in keinem anderen Dorf, in keiner Stadt, in keiner Wirtschaftszone so wenig Frieden geben würde wie hier. Manche der Jungs fanden tatsächlich Frieden für eine Stunde, aber nicht Roy. Sein Frieden war wie seine kupferfarbene Haut und sein lockiges Haar. Es begann und endete in Hälften. Er forderte jeden heraus, über die helle

Schattierung seiner Haut zu lachen, die dunkle Frauen nach dem Bleichmittel greifen ließ. Roy hasste die Frauen, die sich selbst zu nutzlosen Hälften vergifteten, bis ihre Körper einen Krieg gegen sich selbst führten: blasse Köpfe auf dunklen Rümpfen. Roy hasste diese Frauen so sehr, wie er sich selbst hasste, weil sie ihre Haut nicht liebten. Roy hat nie in der Demokratischen Republik Kongo gedient. Aber die, die es taten, setzten einen Wahn nach dem Bleichmittel in Gang, das man trinken kann und die Kongolesen erfunden haben. Die Frauen tranken das bleichende Mittel, das die Soldaten mitbrachten, und glaubten, es brächte ihnen Frieden.

Niemand hielt Roy davon ab zu tun, was er tun musste, nicht nachdem er seinen Großvater verbrannt hatte. Es sei leicht gewesen, sagte er. Sein Großvater war der Säufer im Dorf und hatte Löcher in den Hemden, weil er zahllose Male mit der Zigarette im Mund eingeschlafen war. Roy erzählte, dass er sich im Gebüsch versteckte, als die Hütte Feuer fing, und sich fragte, warum er das Problem nicht früher gelöst hatte, und als klar war, dass die Sache erledigt war, lief er schreiend zum Hof seiner Mutter, um Alarm auszulösen. Sie schrien ihn an, als er erzählte, was der Großvater ihm angetan hatte. Doch als die Polizei kam, schwiegen sie und sagten nur, ja, Roy sei an dem Abend bei ihnen und es sei ein Unfall gewesen.

Ich treibe Roy mit meinem Schweigen an. Nach einer Weile gehe ich in den Schatten des Mangobaums, wo die Jungen sind. Er hängt voller grünlich gelber Früchte, die verrunzelt sind wie eine alte Frau von der Sonne. Auch auf dem Boden liegen Früchte. Ich zerstoße eine Mango mit dem Kolben meines Gewehrs. Ich schaue zu. Niemand traut sich wegzusehen, solange ich da bin. Wenn ich da bin, tun manche nur so, als würden sie zusehen, wie Roy seine Wette einlöst. Ich sehe die, die nur so tun, und ich beobachte sie. Meine Stiefel werden zunehmend staubig, als der Gewehrkolben immer wieder auf die Erde um die Mango trifft. Ich höre auf und säubere sie. Mutter war der Meinung, die Schuhe eines Gentleman sollten immer glänzen. Ich neige mich vor und reibe ein paar Mal über die Stiefel. Die Jungen, die an den Händen vom Baum hängen, sollten wissen, wo ihr Vater ist. Ich schaue zu ihnen, und sie sehen mich aus mürrischen Gesichtern an. Einer kämpft mit den Tränen, der andere bläht die Nasenflügel, atmet schwer vor aufgestautem Zorn, während er am Baum schwingt. Er wäre okay, wenn er ein bisschen mehr Kampfgeist hätte.

Das Mädchen schreit. Es ist das Übliche. Roy hat den Platz des nutzlosen Großvaters eingenommen. Er kniet zwischen ihren Beinen, gespreizt von Händen, die warten und begierig sind. Die Sonne geht unter. Wenn man Filme sieht, weiß man, dass Weiße die Zeit des Sonnenuntergangs mögen. Sie schreit so, wie sie schreien, wenn sie so jung sind. Die Jungs haben Spaß an ihrem Widerstand. Roy weist sie an, das Mädchen loszulassen. Er mag es, wenn Frauen sich wehren.

Es folgt ein dumpfer Schlag, ein weiterer Schrei, und jemand ruft etwas von Frauen, die so tun, als würden sie manche Dinge nicht mögen. Wie auch immer, sie besteht nur noch aus Speichel, Schleim und Tränen. Sie heult laut, und aus Schreien wird Stöhnen. Sie schüttelt den Kopf. Staub klebt in ihrem Haar und lässt sie altern. Roy streckt die Hand zu ihrem Gesicht, als wollte er eine Träne wegwischen. Sie dreht den Kopf weg. Roy lacht und schlägt sie.

»Du schlägst sie nur, wenn du sie liebst!«, ruft der Jüngste namens Regai und drängt sich vor.

Roy macht Platz für Regai und kommt zu mir. Er sagt, er habe die Zahl nicht mehr im Kopf, aber er wisse, dass er den Rekord für Entjungferungen halte. Er benutzt die zerrissene Unterhose des Mädchens, um sich zu säubern.

Er grinst mich an.

Ich lächle und sage: »Du solltest deine Schuhe putzen.«

Er hält mir die Unterhose hin und sagt: »Du kannst sie benutzen, nachdem du dran warst.«

Ich schüttle den Kopf. Ich mache nur mit, wenn ich der Erste bin. Man muss die Ordnung aufrechterhalten, sonst werden die Jungs zu vertraulich. Abgesehen davon mag ich Frauen groß und stämmig. Sie sind leichter festzuhalten, ihre fettgepolsterten Körper lassen die Schläge verpuffen. Und sie genießen es beim ersten Mal am meisten. Ich schwöre, gegen Ende gefällt es ihnen. Jede Frau genießt Sex jedes Mal. Sie wehren sich nur, weil die Männer es von ihnen erwarten.

Roy dreht einen Joint. Wir rauchen schweigend, während die Jungs weitermachen. Das Mädchen liegt so reglos da, als wäre sie tot. Aber die Jungs wissen, was zu tun ist. Wir wissen, wie wir aufpassen müssen und sehen den flachen Atem, der sie zwingt weiterzuleben. Eine Pfütze aus Samen und Blut gerinnt zwischen ihren Beinen, der Boden unwillig, sie einsickern zu lassen, zurückgewiesen von ihrem Körper. Dieses Mädchen wird sich selbst bald hassen. Nicht Liebe macht gleich. Sondern Gewalt.

Ein Aufleuchten von Grün in dem trockenen braunen Feld neben der Straße macht mich auf Moyos Ankunft aufmerksam. Sein Gang ist unsicher. Er bleibt stehen, um sich eine Zigarette anzuzünden, und als er Rauch ausatmet, sieht er uns. Er will wegrennen. Sie versuchen es immer. Ich verstehe nicht, warum. Er hat eine Familie. Niemand beschützt sie, wenn er trinkt oder sich versteckt. Er ist wie Roys Großvater, er will leben, um eine Geschichte erzählen zu können und wortlos zu hassen. Die dummen Frauen, die diese Feiglinge heiraten wegen dieser Sache, die sie wollen, Respektabilität, sind noch widerlicher.

Ich pfeife den Hunden, als ich der Gestalt nachrenne. Unterwegs hebe ich einen Stein auf.

»*Tsvvviiyooo! Tsviiiyooo!*«

Im Dorf werden Pfiffe laut, als sich die Männer der Jagd anschließen. Regai läuft nach vorn, zieht dabei seine Hose hoch.

Nichts ist jetzt mehr wichtig, außer dass wir unserer Beute nachlaufen. Wir rennen, jeder beschleunigt, um der zu sein, der ihn erwischt. Der Abstand wird kleiner. Ich kann Moyos Angst und die Aufregung der Jungs riechen, als wir ihm näher kommen. Moyo schlägt einen Haken und läuft auf den Friedhof. Sein Vorteil ist, dass er das Terrain kennt. Er läuft zwischen Gräbern hindurch und springt über Ruheplätze von verstorbenen Verwandten, doch das Alter lässt ihn im Stich. Wir kommen noch näher.

»Fangt ihn! Fangt ihn!«

Unsere Rufe peitschen ihn. Er blickt angstvoll zurück. Gezielt werfe ich den Stein, und er trifft ihn am Rücken. Er stürzt. Ich renne zu ihm. Ich knie mich vor ihn und halte ihn vorsichtig fest. Ich will sehen, ob er noch atmet. Ich ignoriere den Gestank nach Sorghumbier, der seinen Atem säuert. Mit sanften, nahezu ehrfürchtigen Bewegungen wische ich den Sand von seinem Gesicht und Körper. Ich fange den Tritt ab, der in seinen Rippen landen soll. Ich möchte ihn fit, unverletzt. Nichts und niemand außer mir soll ihn mit der wahren Bedeutung von Schmerz bekanntmachen. Es ist mein Job.

»Ruhig bleiben!«, sage ich.

Ein Blick in mein Gesicht, und die Jungs treten zurück, mürrisch, weil ich ihnen die Aufregung verderbe. Peace, ein Genosse von uns, liegt noch im Krankenhaus. Ich warte einen Moment, schweige, sorge dafür, dass in ihnen die Erinnerung daran, was er für seinen Ungehorsam bekommen hat, aufsteigt und wächst. Die Männer ziehen sich noch weiter zurück. Ich lächle, als Moyo mich, den Sohn seines Kinderfreunds, erkennt, und Erleichterung flutet sein Gesicht.

»Tongai, du bist es. Danke, oh, danke! Ich dachte schon, es wäre vorbei.«

Ich helfe ihm auf. Er richtet sich auf, rückt ein bisschen näher zu mir. Seine Zähne sind gelb, und er ist viel älter, als ich mich erinnere. Die Jungs schwingen ihre Stöcke und tänzeln wie wilde Pferde, während sie die Waden anspannen, die Hälse recken und die rauchige Nachtluft atmen. Sie pfeifen. Alles, was sie tun, ist voller Energie. Der Junge Nhamo, der neben Regai steht, boxt Moyo in die Rippen. Sie beginnen zu summen.

»*Tsviiyo! Iwe!*«

»Schlag den Hund, er wird heute sterben!«

Wieder und wieder schlagen sie Moyo und zerren ihn weg, trennen ihn von mir. Eine Flut von Schlägen landet auf ihm. Es ist schwer, sie in Zaum zu halten, aber ich kann es.

»Wir bringen ihn zur Basis«, sage ich.

Sie hören auf, ihn zu schlagen, und fangen an zu singen. Sie schwingen Ketten und stampfen mit den Füßen. Staub wirbelt auf. Ich blicke zu meinen Schuhen und lache über meine Mutter, die irgendwo ist, wo sie sich nie die Mühe gemacht hat, mir zu sagen, dass Straßen so staubig sein können, die Sonne so heiß sein kann. Man darf nicht über seine Mutter lachen, nicht einmal zuinnerst. Ich zwinge mich, damit aufzuhören.

Ich klopfe meine Hose nicht ab. Sie wird jetzt nicht sauber werden. Die Nacht breitet schon ihre Sternendecke aus, der Mond ist ungeduldig, seinen schwellenden Bauch zu zeigen.

Moyo wird gestoßen und gerempelt. Seine Hände sind auf dem Rücken gefesselt. Er kann kaum das Gleichgewicht halten. Wann immer einer der Jungs ihn ohrfeigt, versichern wir ihm, dass noch mehr kommen wird, und irgendjemand löst das Versprechen stets ein.

»Was ist los, Jungs? Tongai, was habe ich getan?«, fragt er flehentlich.

»Halt's Maul, du Verräter. Heute wirst du wiedergeboren, heute sind wir deine Mutter.«

»Von heute an wirst du nicht mehr am Tisch des weißen Mannes essen, während deine Söhne und Brüder, deine Onkel und Väter kämpfen.«

Worte schlagen Moyo entgegen. Der Gesang wird lauter. Wann immer er versucht, uns anzuflehen, sprechen wir mit ihm wie mit einem Kind.

»Verräter!«

»Überläufer!«

Er ist alt genug, um der Vater unserer Jüngsten wie Regai und Nhamo zu sein, aber bald wird ihm klar, dass wir einem Mann, den wir Verräter nennen, keinen Respekt zollen werden, und er sagt nichts mehr.

»Schlagt sie! Schlagt die Verräter auf den Kopf!«, singen die Jungs. »Schlagt sie und seht sie davonlaufen!«

Wir singen von unserer Arbeit, Verräter zusammenzutreiben. Verräter ernähren niemanden. Sie tun nichts für niemanden. Sie verdienen keinen Respekt. Und wir arbeiten, um die langen ruhelosen Tage mit Macht zu füllen und von Verrätern zu säubern. Moyo traut sich nicht, mit mir zu sprechen. Ich starre ihn an und frage mich, warum jemand es wagt, sich gegen die Flut zu stemmen.

Wir nähern uns seinem Haus und hören seine Frau wehklagen.

»Ihr habt ihn umgebracht! Ihr habt meinen Mann umgebracht!«

Sie klingt wie ein leise gestelltes Radio. Ihre Klagen werden lauter, als wir näher kommen.

»Ihr habt sie umgebracht! Mutter, bitte, oh, Mutter, sie auch. Mein Kind!«, ruft die Mutter immer wieder.

Moyo versucht, uns vorauszulaufen. Ein Knüppel hält ihn auf. Er kann nichts tun.

Das Mädchen liegt noch auf dem Boden. Die Mutter hat ihre Beine geschlossen und ihr Wickeltuch auf sie gelegt. Sie sitzt neben dem Mädchen in ihrem Unterrock. Niemand will, dass seine Nase in irgendetwas gerieben wird, und deswegen gefällt uns das nicht. Wir binden Moyo fest, und Bier macht die Runde.

Das Tanzen beginnt. Moyo ist wie versteinert.

»Meine Vorfahren, warum habt ihr mich verlassen?«, klagt er, als wäre er seine eigene Frau.

Das Stampfen wird lauter. Hoffentlich pisst er sich nicht ein, denn dann müsste ich ihn den Jungs überlassen. Als sich die Dunkelheit breitmacht, werden die Schreie der Mutter leiser, als würde sie weiter und weiter weggehen. Der alte Mann ist nirgends zu sehen. Die Jungen, die wir ordentlich beschnitten haben, hängen noch an den Bäumen. Auf der anderen Seite des Dorfs treten wir Türen ein, zerbrechen Glas. Nichts geht in Flammen auf. Wir haben uns gegen Feuer entschieden. Soll die Witwe hier leben, in diesem Hof, und sich an die dumme Entscheidung erinnern, ihren Mann geheiratet zu haben.

Wir rauchen noch einen Joint und entscheiden, wie wir weiter vorgehen. Schließlich drängen wir uns alle in den Pick-up, und Themba lässt den Motor an. Zuerst rennt uns die Frau nach. Bald jedoch bleibt sie stehen und stürzt jammernd zu Boden. Sie lernt gerade die erste Lektion des Überlebens, nämlich dass die Leute dich im Stich lassen.

Ich sage das Wort. Ein weiterer Joint wird entzündet. Ich inhaliere und lasse das Marihuana meine Lunge füllen, bis sie wie ein Schwamm ist, Erinnerungen aufsaugt. Der Wagen rumpelt über die Straße, und nach einer Weile wird mir klar, warum manche Leute kein Gras rauchen. Irgendwann wird dich auch das Marihuana im Stich lassen. Ich sitze still. Ich weiß, dass es vorübergehen wird. Die Jungs dürfen nicht wissen, dass ich im Wagen träume, während sie wach sind. Ich war oft genug an jenem Ort, sodass es mir gelingt, still zu sein. Ich bin an die Leiche meines Vaters gebunden. Sie verwest. Ich weiß nicht, wo meine Mutter ist, und ich habe keine Schuhe an. Flüssigkeit sickert aus den Öffnungen des fauligen Fleisches. Berühmter Rebell oder nicht, die Maden haben ihre Freude am Körper meines Vaters. Ich war gefesselt. Ich versuchte es mit aller Kraft, aber ich konnte die Fliegen nicht verscheuchen. Die Toten haben keinen Platz unter den Lebenden, und auch ich starb während der sechzehn Tage, die ich an meinen Vater gefesselt war, während er zu etwas so Unmenschlichem verweste, dass ich jeden Moment würgte, außer wenn der Schlaf mich betäubte.

Mutter konnte es nicht ertragen. Sie floh. Als sie zurückkam, sprach sie nicht mit mir darüber, aber manchmal, wenn sie dachten, dass ich schlief, tatsächlich jedoch wegen des Gestanks in meiner Nase würgte, hörte ich sie flüstern, dass der Mann, der es getan hatte, Josiah Moyo war. Jahre später taucht sein Name wieder auf in Verbindung mit unseren Anführern.

Während der Fahrt, während sie plaudern und singen, rauche ich Gras. Nach langer Zeit hält der Wagen an. Die Jungen zerren Moyo heraus, als wäre er ein Sack Dünger. Er ist desorientiert, doch er merkt, dass er an einem Ort weiteren Leidens angekommen ist. Sein Entsetzen ist mit Händen zu greifen. Es ist nahezu wie Parfum.

»Bringt ihn in den Verhörraum.«

Ich fragte mich gleichmütig, weil es mir egal war, ob er wusste, warum ich ihn unbedingt gefangen nehmen wollte. Hatte er je über den Schaden nachgedacht, den er anrichtete, als er meinen Vater an die rhodesische Armee verriet, was für eine Sünde es war, einem Zehnjährigen die Sicherheit des Schlafs und der Träume zu rauben? Es sind Männer wie Moyo, die Gott töten.

Ich bin nicht wütend, als ich den Verhörraum betrete. Der Geruch nach altem getrocknetem Blut von den vielen Opfern, die Leiche der letzten Nacht, die noch daliegt, bestätigen mir, dass es eine gute Entscheidung war, Moyo herzubringen und nicht zu schnell umzubringen, damit er selbst sehen kann, wie es ist, an den Tod gefesselt zu sein. Der Tod ist zu einem alten Freund geworden. Ich atme seinen Gestank ein.

»Herr im Himmel, Gott der Gnade«, betet Moyo.

»Die, die von Wundern reden, lügen«, erkläre ich ihm.

»Wir wissen alle, dass die Tage der Wunder vorbei sind«, sage ich langsam, damit er schaudert.

»Geld, Abtreibungen, Babys, Organe, alles wie durch ein Wunder. Was für eine Sorte wundertätiger Gott ist das?« Ich lache. »Niemals!«

Es ist das Lachen, das ich genieße, weil ich weiß, dass ich der Welt einen Gefallen tue. Nach dieser Nacht wird es einen Dummkopf weniger geben, der alles versaut. Ich streichle den Beichtvater, meinen Knobkierie, liebevoll, erinnere mich an Dinge, die mich ruhig und gut machen, an die Dinge, die er einem Mann antun kann.

Moyo schreit, als er nach seinem Gebet die Augen öffnet und in das ausdruckslose Gesicht und den blutigen Mund der Leiche auf dem Boden blickt.

»Bitte, tu das nicht, du musst das nicht tun. *Vana vangu!* Wer wird sich um meine Kinder kümmern? Ich habe Geld, alles, was du willst, Tongai!«

Worte schwallen aus seinem Mund. Ich lache nicht mehr und sehe ihn ohne Mitleid an. Schließlich lächle ich. Moyo ist ein Verräter. Aber er hat den Mann auf die Welt gebracht, der ich bin. Als wahre Mutter hat mich meine Beute zu dem gemacht, was ich heute bin. Ich schwinge den Knobkierie.

Vor der Dämmerung

Karen Mukwasi

Am Himmel begannen Wolken aufzuziehen. Es war erst vier Uhr, aber es wurde bereits dunkel. Eine Eule, Geschöpf der Nacht, stieß einen unheimlichen, verstörenden Schrei aus. Ruth, die in einer Gegend aufgewachsen war, wo Eulen in nahe gelegenen Höhlen Jagd auf Fledermäuse machten, wusste, dass sie nur selten tagsüber zu hören waren. Da sie den Schrei nicht ignorieren konnte, ging sie aus dem Haus, in dem sie mit ihrem Mann Simba und ihrer Schwiegermutter Mrs Zheve lebte. Sie stand auf der Veranda und schaute sich um, als wollte sie das beunruhigende Wesen lokalisieren. Die einzigen Tiere, die zu sehen waren, waren Danger und ihre kleinen Welpen. Obwohl sie unruhig war, blickte Ruth einen Augenblick lang wehmütig zu den Hunden. Sogar Danger hatte dieser Tage Junge, um die sie sich kümmern musste. Die Hündin sah zu Ruth und wandte sich wieder ihren Welpen zu.

Ruth war gerade von einem Besuch bei ihrer Schwägerin in Harare zurückgekehrt und hatte noch nicht einmal ihre Taschen ausgepackt. Jetzt trug sie sie eine nach der anderen ins Haus. Dann holte sie den Eimer, der voll mit Erdnussbutter gewesen war. Jetzt war er leer. Die Geschäfte in Harare waren gut gewesen. Ihre Aufmerksamkeit richtete sich wieder nach draußen, als sie einen Kombi über die Straße rattern hörte, die sich durch das Geschäftszentrum schlängelte. Er war voll besetzt und unterwegs nach Harare. Alle, die Verwandte in Masvingo oder Harare hatten, verließen das Dorf. Sie war aus der entgegengesetzten

Richtung gekommen, starrsinnig, wie ihre Schwiegermutter gemeint hatte, kurz bevor die alte Frau mit dem Bus, mit dem Ruth gekommen war, zum Haus ihrer Tochter in der Stadt aufgebrochen war. Einen Moment lang fragte sich Ruth, ob sie ihrer Schwiegermutter hätte gehorchen und dem Dorf hätte fernbleiben sollen.

Simba, Ruths Mann, war ein bekannter politischer Aktivist. Da er jung und gebildet war, hatten viele damit gerechnet, dass er in die Stadt ziehen würde, doch er war geblieben, um das Familienunternehmen zu führen, und hatte sich in der Gegend zunehmend politisch engagiert. Er war der Partei beigetreten, der auch seine Mutter angehörte. Alle in der Partei hatten erwartet, dass Simba bei der Vorwahl kandidieren würde. Stattdessen hatte er Unterstützung für seine Mutter mobilisiert, und die Familie hatte alle Ressourcen gebündelt, um Mrs Zheves Erfolg zu gewährleisten. Simba wurde respektiert und zum führenden Kopf im Wahlkampf seiner Mutter, er blieb im Hintergrund und sorgte für den finanziellen Rückhalt. Im Lauf seiner Arbeit machte er Reisen, die Ruth nicht verstand. Seine letzte Reise nach Botswana war ihr ebenso ein Rätsel wie viele andere zuvor.

Fast alle im Dorf sprachen leidenschaftlich über Politik, doch Ruth konnte ihre Begeisterung nicht teilen. Wenn Parteiveranstaltungen bei ihnen zu Hause stattfanden, saß sie still da oder servierte ebenso still Erfrischungen. Von Natur aus schüchtern, blieb sie großen politischen Versammlungen fern. Aber nicht nur Schüchternheit hielt sie davon ab, daran teilzunehmen. Sie kannte fast alle, die zu diesen Veranstaltungen kamen, und ungeachtet des Engagements ihrer Familie sah sie die Versammelten nicht als Parteimitglieder, sondern als Individuen. Sie hatte Dünger bei ihren politischen Gegnern gekauft, denen der Laden gegenüber ihrem gehörte, obwohl viele andere darauf verzichteten oder deswegen kilometerweit mit einem Kombi fuhren. Der Staub auf der Straße legte sich, als sich der Minibus Richtung Stadt entfernte.

Ruth seufzte und tröstete sich mit dem Gedanken, dass sie sich keine Sorgen machen müsste, weil die Parteimitglieder nicht zu Hause waren. Sie trug den leeren Erdnussbuttereimer ins Haus, blieb neben der Tür stehen und holte ihr Handy aus der Tasche, das zu klingeln begonnen hatte.

Ihre Augen leuchteten, als sie die Nummer sah, doch bevor sie ihm sagen konnte, wie gut es war, seine Stimme zu hören, fuhr ihr Mann sie an: »Du bist im Dorf, stimmt's? Amai hat es mir gesagt.«

»Warum?«, fragte Simba, als sie ihm nicht widersprach.

Unsicher, warum er so wütend war, verscheuchte Ruth einen beunruhigenden Gedanken.

»Es geht mir gut, Simba«, sagte sie leise und beschloss, ihm nicht zu sagen, was sie dachte. »Wer wird sich um den Laden kümmern, wenn alle nach Harare gehen? Wir können nicht erwarten, dass Sam alles macht. Es ist unser Laden, nicht seiner.«

»Verstehst du denn Politik immer noch nicht?«, sagte Simba. »Du bist in Gefahr.« Seine Stimme klang scharf. »Du hättest mit Amai zurückfahren sollen.«

»Du bist paranoid«, sagte Ruth. »Amai vielleicht auch. Vielleicht sind alle Politiker paranoid.«

In dem darauf folgenden kurzen Schweigen fragte sich Ruth, woher diese Worte gekommen waren, ob sie ihrem Mann Vorwürfe machte, ob sie selbst paranoid wurde, weil Simba ihr etwas verheimlichte. Was hielt einen erfolgreichen Politiker so lange fern? Diese Frage nagte oft an ihr. Sie versuchte, den Gedanken zu verscheuchen, vergeblich.

»Was machst du dort überhaupt noch?«, fragte Ruth, ihre Stimme unterlegt mit unausgesprochenen Vorwürfen.

Sam, der junge Verkäufer, der das Gespräch seiner Chefin nicht unterbrechen, aber gehen wollte, setzte sich draußen auf die Veranda. Er würde es Ruth nicht sagen, aber er würde mit dem ersten Kombi am nächsten Morgen in die Stadt fahren.

»Das ist jetzt nicht wichtig«, sagte Simba. »Ich habe dir gesagt, dass ich arbeite, oder? Ich erzähle dir mehr, wenn ich zurück bin.«

Ruth stand schweigend im Laden, und Simbas Tonfall wurde milder.

»Warum gehst du nicht wenigstens in die Schule? Dort bist du sicher, sollte sich irgendwas, na ja, entwickeln.«

»Wann kommst du zurück, Simba? Du bist seit einem Monat weg«, sagte Ruth. Mit ihren eigenen Gedanken beschäftigt, hatte sie ihm kaum zugehört.

»Nicht jetzt, Ruth. Geh in die Schule«, erwiderte Simba. »Ich rufe dich an, wenn du dort bist. Dann können wir reden.«

»Ich weiß nicht«, sagte Ruth und blickte nach draußen. »Es sieht aus, als würde es regnen.«

Simba schwieg am anderen Ende der Leitung.

»Du bist schon zu lange weg«, sagte Ruth sehnsüchtig. »Ich muss aufhören«, fügte sie hinzu, als Sam zurück ins Haus kam und ein paar Schritte von ihr entfernt stehen blieb. »Ich glaube, Sam braucht etwas.«

Sie hörte die Antwort ihres Mannes nicht, denn Sam kam zu ihr und berührte sie wortlos an der Schulter. Sie folgte seinem Blick und sog Luft durch die Zähne, um sich über die Störung lustig zu machen.

»Das ist nur eine Staubwolke.« Sie zuckte lächelnd die Achseln.

Sam deutete immer noch. Ein Flackern wie von einem Blitz, doch es klang ganz anders. Ruth stellte fest, dass sie ihr Handy nicht länger in der Hand hielt und wollte glauben, dass das, was sie gehört hatte, sein Aufprall auf dem Boden gewesen war. Doch weil ihr das Blut in den Adern gefror so wie damals, als sie zum ersten Mal einen Gewehrschuss gehört hatte, wusste sie, dass es nicht stimmte. Durch den Staub kam ein alter Pick-up näher. Singende Stimmen vermischten sich mit dem Motorengeräusch.

Hin und wieder war ein Schuss zu hören. All das wurde lauter und kam näher. Ruth schloss rasch das Fenster. Es war sinnlos. Es war nicht gegen Einbrecher vergittert, und selbst das wehrhafteste Gitter hätte, was immer bevorstand, nur ein paar Sekunden hinausgezögert. Sie wusste, dass die Hintertür abgeschlossen war. Dennoch lief sie hin und rüttelte an der Klinke.

»Die Kugeln werden dich treffen, bevor du irgendwo hinlaufen kannst«, sagte Sam. Er schüttelte den Kopf und sah sie ruhig an, machte ihr keine Vorwürfe.

Der Pick-up war draußen auf den Hof gefahren, zu dem sie vor Kurzem so zufrieden zurückgekehrt war. Der Motor heulte ein letztes Mal auf, und Ruth lachte erleichtert. Der Wagen war nahe genug, um den Mann zu erkennen, der heraussprang.

»Oh! Willkommen, Tasekwa!«, rief sie und lief auf die Veranda.

Der Mann war Mitglied der Partei ihrer Familie. Er trank, so oft er konnte, im Zheve Bottle Store und nahm stets an Parteiversammlungen teil. Er war immer einer der stärksten Unterstützer ihrer Schwiegermutter gewesen. Ruth stand auf der Veranda und lächelte übers ganze Gesicht.

»Willkommen«, sagte sie noch einmal und winkte. »Du kommst zur rechten Zeit, Tasekwa. Ich bin selbst gerade erst zurückgekommen.«

Tasekwa ging über den sandigen Hof. Danger knurrte, fletschte die Zähne.

»Nein! Hör auf!«, schimpfte Ruth.

Tasekwa hob einen langen gebogenen Stock auf, an dessen Ende sich ein Haken aus Draht befand. Die Kinder benutzten ihn nach der Schule, um Avocados vom voll behangenen Baum neben dem Laden zu holen. Danger zog sich jaulend zurück. Sie nahm einen nach dem anderen ihre Welpen auf und trug sie in Sicherheit.

Tasekwa sprang auf die Veranda. Er ignorierte Ruths ausgestreckte Hand und sah sich um.

»Jetzt sag mir, wo die Abgeordnete ist«, sagte er gut gelaunt, wie ein Nachbar sprechen würde, der sich nach ihrer Gesundheit erkundigte. Tasekwa hatte seine Stimme unter Kontrolle, bemühte sich jedoch nicht, den aufblitzenden Hass in seinen Augen zu verbergen. Seine Augen verhöhnten sie und beschieden ihr, sie sei so unbedeutend, dass er in ihrer Gegenwart nichts verheimlichen müsse.

Ruth öffnete den Mund. Tasekwas Jugendliche, von denen sie viele kannte, drängten sich noch immer auf der Ladefläche des Pick-ups. Sie schauten zu ihrem Anführer und ignorierten sie. Ein Jugendlicher stach besonders heraus. Ruth schloss den Mund, ohne etwas gesagt zu haben. Sam kam heraus, stellte sich neben sie und schnappte nach Luft, als auch er den jungen Mann wiedererkannte, der die Kalaschnikow hielt. Er und Ruth betrachteten die Gesichter der Jugendlichen. Sie kannten sie alle. Vor der letzten Wahl hatten Gruppen der Jungen vor dem Hof des Ladens herumgelungert und waren manchmal sogar bis zum Haus gekommen auf der Suche nach einem Job, um ein paar Dollar für Bier zu verdienen. Sie waren alle da gewesen, auch Tichaona, der das Gewehr hielt und der Sohn des Propheten der Kirche war, der Mrs Zheve angehörte.

»Also, Ambuya, ich habe gefragt, wo sie ist, unsere Abgeordnete«, sagte Tasekwa noch einmal in demselben freundlichen Tonfall von jemandem, der auf einen Besuch vorbeischaut.

Ruth konnte immer noch nicht antworten.

»Es ist nämlich so«, fuhr Tasekwa fort und hob die Stimme, als wäre er amüsiert und würde einen Witz erzählen. »Diese Frau benimmt sich schlecht. Sie will die ganze Provinz regieren, vielleicht sogar das ganze Land. Sie will es ihrem Sohn übergeben.«

»Niemand ist hier außer mir und Amaiguru, die du hier siehst«, sagte Sam ruhig. »Sie sind nach Harare gefahren, um Tete zu besuchen.«

Sam sprach von Ruth immer mit dem respektvollen Titel »Amaiguru«, nicht weil sie seine Schwägerin war, sondern weil er im Laden die Position des jüngeren Bruders innehatte, da Simba etwas älter war als er. Die Jugendlichen im Wagen kicherten. Wenn etwas länger dauerte, war etwas im Schwange, doch sie ließen nicht zu, dass ihre Heiterkeit ihre Konzentration oder ihren Anführer störte. Zu ihrer Erleichterung lachte Tasekwa laut. Dann forderte er mit einer Bewegung seines linken Arms Schweigen. Es war ein knotiger, ledriger schwarzer Stumpf, der am Ellbogen endete. Wenn er seinen linken Arm benutzte, schauten die Leute weg, weil sie sie abstieß. Aus diesem Grund ließ Tasekwa die Prothese stets zu Hause in einer Truhe und trug sie nie.

Manchmal, insgeheim, so insgeheim, dass er sich diesen Gedanken nicht oft gestattete, wünschte Tasekwa, dass er sich damals versteckt hätte und zu Hause geblieben wäre. Das Einzige, das er zugab, immer nur einem Freund gegenüber, war, dass er nicht mehr losziehen würde, sollte es noch einmal geschehen.

Lange bevor Ruth heiratete und zu ihrer Schwiegerfamilie zog, war Tasekwa mit seinem jüngeren Bruder aus seinem Dorf verschwunden. Nach seiner Rückkehr wussten alle, dass er in Mosambik gewesen war, obwohl er nicht viele Kriegsgeschichten erzählte. Die Brüder hatten an der Grenzfront in Nyadzonya Bombardierungen und in Chimoio tief im Nachbarland die Angriffe der Kolonisten überlebt. Dann wurde Tasekwa nach Simbabwe zurückbeordert, um in einem Landesteil zu kämpfen, in dem er nie zuvor gewesen war. Sein Bruder wurde nach Nyadzonya zurückgeschickt, um neue Rekruten anzuwerben und auszubilden. Seitdem hatte die Familie nie wieder etwas von ihm gehört. Es gab keine Leiche, die man betrauern, kein Grab, das man aufsuchen, nicht einmal einen Schrein, den man schmücken konnte, da es keine Dokumente gab, und sie weigerten sich, an den Tod des jungen Mannes zu glauben. Die Leute sagten, dass Tasekwa nicht viel über diese Zeit erzählte, weil er allein in den Kraal seiner Mutter zurückgekehrt war. Er hatte seinen Arm noch, als er aus dem Krieg zurückkam, und obwohl sich keiner mehr erinnerte, was für eine Sorte junger Mann er davor gewesen war, waren sich doch alle einig, dass Tasekwa noch ziemlich genauso war wie vor dem Krieg. Unfähig, zur Ruhe zu kommen, verließ Tasekwa das Dorf bald nach seiner Rückkehr erneut. Und als er das zweite Mal zurückkam, dieses Mal ohne Arm, waren die Leute der Meinung, dass der verlorene Arm sein Temperament in Zaum gehalten haben musste, denn mit der Verkürzung seines Arms war auch die Leine um sein Temperament kürzer geworden. Er war jetzt unbeherrscht und neigte zu Wutausbrüchen.

Tasekwas Gereiztheit schwächte sich nur leicht ab, als er die Entschädigung für den Krieg erhielt. Im Gegensatz zu den meisten, die die Kämpfe überlebt hatten, verließ er das Dorf nicht wieder. Er versuchte, zur Ruhe zu kommen, indem er eine junge Frau heiratete. Er musste sich mit ihr im Kraal seiner Mutter einrichten, da Baba Tasekwa seine Frau und seine beiden Söhne hinausgeworfen hatte, bevor Tasekwa alt genug war, um zur Schule zu gehen. Die Ehe schien zu funktionieren, und Tasekwa engagierte sich in der Parteipolitik.

»Emporkömmlinge ohne Legitimation aus dem Befreiungskampf verdienen gar nichts«, sagte er zu Ruth. »Deine Familie hat nur so getan, als würde sie mit mir kämpfen, damit sie meine Stellung einnehmen kann.«

Ruth versuchte, den Mund zu öffnen. Tasekwa hatte so viel Zeit mit ihrer Familie verbracht, und sie wollte ihn daran erinnern, dass sie auf derselben Seite standen und nicht verfeindet waren. Aber sie konnte nur auf den Boden neben seinen Füßen starren. Etwas Uraltes und Primitives verlangte, dass sie ungeachtet der Situation schwieg.

Tasekwa gab den jungen Männern im Pick-up mit seinem Stumpf ein Zeichen.

»Haltet mich auf oder ich reiße ihn in Stücke!«, sangen sie, als sie heraussprangen.

Tasekwa schlug mit seinem ledrigen Stumpf den Rhythmus, als würde er einen Chor dirigieren. Der Gesang wurde lauter. Die Jungen fingen mitten im Hof an zu tanzen, wirbelten Staub auf, zuerst um ihre Füße, dann stieg er immer höher, bis es aussah, als befänden sie sich in einer Staubwolke. Als es schien, als würde der Wirbelwind sie davontragen, hörten sie auf und warteten. Tasekwa wandte sich wieder Ruth zu.

»Sing!«, befahl er ihr leise.

Ruth spürte, wie ihr Herz zerbrach. Sie kannte und hasste den Kriegsschrei. Sie konnte ihn nicht ertragen, nicht einmal wenn Simba ihn sang, um sich über seine Rivalen in der gegnerischen Partei lustig zu machen.

»Sing!«, befahl Tasekwa noch einmal.

Ruths Hass auf den Singsang löste sich auf. »*Ndibate!* Haltet mich auf!«, begann sie flüsternd mit heiserer Stimme.

»Für Frauen wie dich gibt es in der Partei sowieso keinen Platz.« Tasekwa lachte. »Wozu wärst du gut für uns, wenn du nicht singen kannst!«

Auf Tasekwas Befehl hin rannten die Jungen durch den Laden und durch einen schmalen Durchgang ins Haus.

»Wie ich hörte, wurden euch ein paar hübsche Sachen aus England geschickt.« Tasekwa lächelte. »Sucht sie, Jungs!«, rief er den Jugendlichen nach. »Heute halte ich euch nicht zurück. Zeigt ihnen, was wir mit Leuten machen, die machtgierig sind.«

Manche der Jungen waren barfuß. Andere trugen zerrissene Turnschuhe oder Kampfstiefel. Ruth zuckte zusammen, als Lebensmittel und Geschirr durchs Wohnzimmer flogen. Die mit den Stiefeln traten gegen Mrs Zheves Schlafzimmertür. Der mit der Kalaschnikow stieß mit dem Gewehrkolben dagegen. Als die Tür in der Mitte zerbarst, brauchte es nur noch ein paar weitere

Schläge, um sie aus den Angeln zu reißen und auf den Boden zu schleudern. Die Jungen durchwühlten die Schränke der Abgeordneten im ansonsten leeren Zimmer.

»Idioten! Glaubt ihr, die fette Frau kann sich da hineinzwängen?«, rief Tasekwa. »Schaut im Getränkeladen nach.«

»Da ist niemand. Und er ist auch verschlossen«, sagte Sam. »Verstecken sich die Leute etwa in unverschlossenen Läden?«, erwiderte Tasekwa.

Schreiend trampelten die Jugendlichen wieder heraus. Im Wohnzimmer knirschte Glas unter ihren Füßen.

»Schau, was wir gefunden haben, Boss«, sagte Tichaona. Er warf die Kalaschnikow dem Jungen neben ihm zu und hielt einen alten Speer hoch. Tasekwa kicherte und zuckte die Achseln. Der Speer hatte Ruths Schwiegervater gehört. Tichaona betrachtete die Waffe. Dann strich er darüber.

»Bis zum Abend«, sagte er und nickte, »wenn ich Zeit habe, werde ich meinen Speer so richtig benutzen. Mit meinem Speer werde ich diese unfruchtbare Frau zur Mutter machen. Von Zwillingen!« Er stieß mit dem Speer zu. »Zwei gesunde Jungen zum Preis von einem. Deine Familie wird mir einen Bullen schenken!« Er hatte eine volltönende Stimme. Alle, die ihn in der Kirche hörten, weinten und beteten. »Ich werde sie zur Mutter und Simba zum Vater machen!«, rief Tichaona.

Die anderen Jugendlichen hämmerten und traten erfolglos gegen die Tür des Getränkeladens.

»Schließ die Tür auf, du Schwachkopf!«, schrie Tasekwa Sam an.

Sam nahm die Schlüssel heraus und ging über den Hof. Die Schlüssel klimperten in seiner Hand wie die *hosho*, die er im Kirchenchor so rhythmisch schüttelte. Bei seinem ersten Versuch fielen die Schlüssel auf den Betonboden. Die jungen Männer lachten laut. Einer hob den Bund auf. Auch beim zweiten Versuch hatte Sam Mühe, den Schlüssel ins Loch zu stecken. Tichaona nahm ihm den Schlüsselbund ab und stieß nach mehrmaligen vergeblichen Versuchen die schweren Metalltüren auf. Die Jungen stürmten in den Laden, stießen mit Stöcken und dem Gewehr gegen Säcke mit *maputi*, rissen Säcke mit Maismehl auf und griffen nach Bierflaschen. Sie öffneten die Flaschen mit den Zähnen, Schaum tropfte auf ihre Hände, als sie in den Hof zurückkehrten. Sie tranken das Bier und warfen die leeren Flaschen auf den Pick-up, um sie später abzugeben.

»Jungs!«, mahnte sie Tasekwa, als der Junge mit dem Gewehr einen weiteren Angriff auf den Laden anführte. »Dafür ist später noch Zeit. Jetzt müssen wir arbeiten.«

Die Jungen beruhigten sich sofort und schauten zu ihrem Anführer.

»Unsere Partei geht unter wegen Leuten wie denen, die wir suchen«, fuhr Tasekwa leise fort. »Wir müssen sie aufhalten. Gegen diese Läuse und Parasiten helfen nur Pestizide. Sie brauchen Gammatox! Männer des Kampfes wie ich, wir werden es anwenden.«

»Gammatox! Gammatox!«, riefen die Jugendlichen.

»Was braucht die Laus?«, fing ein Junge an zu singen.

»Sie braucht Gammatox!«, antworteten die anderen im gleichen Singsang.

Ruth spürte ihren Körper nicht mehr, nur ihren Magen, der sich umdrehte. Tasekwa ging zu ihr. »Sag es mir, damit wir gehen können«, sagte er. »Wo ist dein Mann?«

»Wir müssen nicht aufgehalten werden. Wir unterstützen dich«, flüsterte sie.

»Indem du deinen Mann versteckst?« Tasekwa schüttelte den Kopf. »Und was bist du? Wenn wir hier ein Treffen hatten, hast du nie was gesagt. Du hast uns nur schweigend bedient. Du bist nie zu Versammlungen gekommen. Deine Familie hat mir die Macht genommen, aber du, du verhältst dich wie eine Verräterin. Wo warst du die letzten Wochen? Wer bezahlt dich dafür, dass du mich ausspionierst?«

»Ich habe Erdnussbutter verkauft, das ist alles«, flüsterte Ruth mit vor Angst zittriger Stimme. »Ich bin gerade erst zurückgekommen. Ich passe nur auf den Laden auf.«

»Mach es dir einfacher«, riet ihr Tasekwa. »Sag mir, wo die alte Frau ist.«

»Sie ist nach Harare gefahren. Zu Verwandten«, sagte Ruth. Tränen liefen ihr heiß über die Wangen.

»Namen«, sagte Tasekwa. »Ich will Namen.«

Ruth kniff die Augen zu. Ihr Körper zog sich in Vorahnung eines Schlags in sich selbst zurück. Tränen liefen ihr übers Gesicht. Der Schlag kam nicht.

»Verwandte sind gut«, sagte Tasekwa beruhigend. »Wir können sie finden. Also«, fuhr er fort, »mach es dir einfacher. Sag uns, wo hast du deinen Mann versteckt?«

Das hatte die gewünschte Wirkung.

»Simba ist in Botswana«, flüsterte Ruth.

Tasekwa nickte. In Botswana waren die Leute leicht zu finden. »Um was zu tun?« Er stellte sich so nah zu Ruth, dass sie den Knopf seines Hemds spüren konnte, wo sich sein Bauch wölbte. »Warum ist er so lange in Botswana?«

Ruth wusste, dass es darauf keine richtige Antwort gab. »Lebensmittel«, sagte sie leise. Es war die sicherste Antwort, die ihr einfiel, weil alle, denen es möglich war, nach Botswana fuhren, um Essen, Treibstoff und Toilettenartikel zu kaufen, die in den leeren Regalen des Landes nicht mehr zu finden waren. Der Schlag kam. Sie biss sich, und der überraschende, fremde Geschmack, der darauf folgte, floss in ihren Mund. Ruth konnte nicht glauben, dass etwas, das in ihrem Körper zirkulierte, so seltsam schmecken konnte wie ihr eigenes Blut.

»Einen ganzen Monat, um Lebensmittel für diesen kleinen Laden zu kaufen?«, sagte Tasekwa und schlug wieder zu. »Er versteckt sich! Warum?«

Sie stürzte zu Boden und verstand endlich, warum ihr Mann ihr nicht länger erzählte, was er tat. Sam war mutig genug und ging vom Eingang des Ladens zu ihr. »Warum tust du das? Ich habe doch gesagt, dass sie nicht da sind«, sagte er.

Ruth war noch immer wie vor den Kopf gestoßen. Als Sam sich vorneigte, um ihr aufzuhelfen, begannen die Jugendlichen ein anderes Lied. Tasekwa nickte kaum merklich. Zwei Jungen sprangen vor, drehten Sam die Arme auf den Rücken und zerrten ihn in die Mitte des Hofs, wo sie ihn zu Boden auf den heißen Sand stießen. Dann holten sie Ruth.

Sekunden später lagen sie nebeneinander.

»Ja!«, rief Tasekwa. »Zeigt es ihnen!«

Tichaona hob den Speer und stieß mit dem Griff gegen Sams Schläfe. Sam stöhnte, schlang die Arme um den Kopf. Tränen und Blut tropften zwischen seinen Fingern hindurch. Zwei der Jungen gingen zum Pick-up und kehrten mit zwei langen Stöcken zurück.

»Umdrehen!«, befahl Tasekwa. »Ich habe umdrehen gesagt!«, wiederholte er, als sich Ruth und Sam nicht rührten.

Ruth fand ihre Stimme und sagte: »Warum? Wir stehen doch auf derselben Seite.«

»Indem ihr putscht?«, erwiderte Tasekwa. »Mir das Recht auf meinen Sitz im Parlament stehlt? Das nennst du dieselbe Seite?«

»Tu es, Maiguru«, bat Sam und drehte sich um.

Stiefel stießen gegen Ruth. Sie wusste, dass Widerstand zwecklos war. Doch irgendetwas in ihr wollte ihnen zeigen, dass sie nicht alles hinnehmen würde. Sie wusste, dass es jetzt, als ihr aufgrund des Schocks und der Schmerzen Vorwürfe in den Sinn kamen, zu spät war. Simba, der Politiker, hätte sie beschützen und ihr sagen müssen, was er tat. Oder sie hätte sich selbst schützen und ihn fragen müssen, um es herauszufinden. Gemeinsam hätten sie einen Weg gefunden, Tasekwa zu überlisten. Jetzt hatte sie ihre Stimme gefunden, aber es war eine Stimme, um zu bitten, nicht um zu handeln. Dennoch sprach die Stimme zu ihr, und sie hörte sie. Sie würde heute nicht sterben! Sie würde noch einen Tag leben und noch einen und noch einen: So würde ihr Widerstand aussehen.

»Ich habe den Mund gehalten«, sagte Tasekwa leise, als Ruth sich umdrehte. »Ich bin in ihr Haus gekommen und habe an ihrem Tisch gegessen. Ich habe zugehört, wie sie plante, eine Wahl zu gewinnen, die eigentlich meine war. Warum glaubst du, dass dieses Mitglied einer Partei blutgieriger Ungeheuer nie hier ist? Jetzt hat ihr Sohn seinen Universitätsabschluss benutzt, um mir die Stellung als Provinzvorsitzender zu nehmen. Jetzt sind sie an der Macht. Ich habe einmal etwas zugelassen. Jetzt lasse ich nichts mehr zu.«

Tasekwa hielt inne und fuhr sich durch den Bart. Die Jugendlichen, die mit weit aufgerissenen Augen ins Leere starrten und langsam und gleichmäßig atmeten, obwohl sie sangen und tanzten, verstummten sofort und warteten auf ein weiteres Zeichen. Schließlich traf Tasekwa eine Entscheidung.

»Hör zu«, sagte er, unfähig, den letzten Schritt zu tun, der ihm den Sieg über seinen Gegner einbringen würde. »Ich bin gekommen, um mir zu holen, was mir gehört.« Er hielt Ruth sein Handy hin. »Sag ihm, dass er bis morgen zurückkommen und mit mir reden soll. Dann gibt es keinen Grund zur Sorge.«

Ruth nahm das Handy, wagte es nicht, sich aufzusetzen. Sie schwieg, als sie wählte, wusste instinktiv, dass sie ihre Stimme für sich behalten sollte.

»Warum antwortet er nicht? Wähl noch mal!«, befahl ihr Tasekwa ein paar Augenblicke später. Ruth wählte erneut. Tasekwa entriss ihr das Telefon. »Kein Netz!«, rief er. »Willst du mich für dumm verkaufen? Schnell! Finde jemand, der diesen Kakerlaken Simba erreicht!«

Sam versuchte zu fokussieren und hob den Kopf. Schwächer als gedacht, stöhnte er und ließ den Kopf mit geschlossenen Augen wieder sinken. Das brachte ihm einen weiteren Tritt von einem der Jungen ein.

Sam schützte seinen Kopf mit den Armen. Als er sprechen konnte, keuchte er: »Runesu. Unser Genosse Runesu kann dir sagen, was du wissen willst.«

Tasekwa tippte auf seinem Handy und fluchte, als er sah, dass Runesu nicht unter seinen Kontakten war. »Nummer?«, sagte er.

Sam schüttelte den Kopf. Der Jugendliche neben ihm trat ihn wieder. Ruth streckte die Hand aus. Runesu war Lehrer in der nahen Mittelschule. Er hatte viele Abende damit verbracht, mit Simba zu planen, wie Mrs Zheve zuerst den Parlamentssitz und Simba anschließend den Parteivorsitz gewinnen könnte. Ihn in Gefahr bringen hieß, die gesamte Schule in Gefahr zu bringen. Diese Sache, die sie Politik nannten, machte die Leute paranoid, und wenn sie paranoid waren, waren sie zu allem fähig. Ruths wiedergefundene Stimme sagte ihr, dass es sich nicht lohnte, für irgendjemanden zu sterben. Sie würde Runesu anrufen, sosehr sie ihn auch mochte. Ihre Mission war es, diesen Tag und den nächsten und dann noch einen zu überleben. Sie konnte sich nicht auf ein schlechtes Netz verlassen, um ein falsch gewähltes Ortsgespräch zu verheimlichen. Sie wählte und dachte nur an ihre Mission. Nachdem Ruth mit Runesu gesprochen und ihn gebeten hatte zu kommen, warteten sie. Tasekwa schritt aufgeregt auf und ab. Zuerst blickte Ruth zur Straße, doch bald schon fiel sie in einen Schlaf voll lebhafter Träume. Sie erwachte, als Runesu kam und die Jugendlichen laut schrien.

Er trug ein T-Shirt, das ihn zu einem Parteikader erklärte, der willens war, für die Sache zu sterben. Runesu ging direkt zu Ruth und Sam. Die Jugendlichen ließen ihn einen Augenblick lang neben den beiden mitten im Hof stehen, als wäre Runesu tatsächlich zu einem Parteitreffen gekommen. Dann fielen sie ihn an, rissen ihm die Bierflasche, die er immer dabeihatte, aus der Hand und leerten den Inhalt in den Sand.

»Tasekwa!«, protestierte Runesu.

»Die da«, sagte Tasekwa und deutete mit seinem Stumpf von Runesu zu Ruth und wieder zurück. »Sie hat dir was zu sagen. Du«, fuhr er an Ruth gewandt fort, »sag ihm, dass er uns alles sagen soll.«

»Ich habe mein Handy nicht dabei«, sagte Runesu, als er begriff, warum er hatte kommen sollen. »Ich habe es einem der Jungen gegeben, der es zum Aufladen zu dem Mann mit der Windmühle bringen soll.«

Ruth seufzte vor dankbarer Erleichterung. Runesu hatte verstanden und einen Weg gefunden, sie alle zu beschützen.

Tasekwa legte den Stumpf auf seinen Bauch und dachte nach. »Fesselt ihn«, sagte er schließlich.

»Wir werden uns später um ihn kümmern, damit er niemandem was davon erzählen kann. Bindet ihm die Augen zu. Und holt ihm noch ein Bier. Er soll betrunken werden. Und erteilt ihm eine Lektion. Nur eine Lektion.«

»*Yawe nyama yekugocha!*«, rief Tichaona. »Fleisch! Fleisch für den Grill!« Tichaonas Kumpel lachten. Der Junge neben Sam versetzte ihm wieder einen Tritt und stieß ihm den Stock in die Rippen.

Zwei mit Stöcken bewaffnete Jugendliche näherten sich Ruth. Tichaona stand daneben, den Speer in der Hand.

»Tasekwa, bitte hör auf«, flehte der gefesselte Runesu. »Lass uns darüber sprechen.«

»Stopft ihm das Maul«, rief Tasekwa, ohne zu Runesu zu sehen.

Einer der Jungen holte einen schmierigen Lappen aus dem Wagen und stopfte ihn Runesu in den Mund. »Du wirst das hören, was wir nicht tun sollen«, sagte er. »Diese Frau wird demnächst schreien.«

Die Jugendlichen in der Mitte des Hofs hoben die Stöcke. Der erste Schlag traf Ruth auf den Hintern. Schmerz entrollte sich in ihr wie eine Schlange. Bevor sie Luft holen konnte, traf sie der zweite Schlag. Ruth fand nur ihre flehende Stimme, als sie um Gnade bat. Sie schrie, dass sie jedes Vergehen gestehen würde, und flehte um Vergebung.

Sam attackierten die Jungen mit dem Speer und dem Gewehrkolben. Tasekwa trug mit Fußtritten zu ihren Qualen bei. Sie schlugen zuerst die eine, dann den anderen. Nach einer Weile hörte Ruth auf zu schreien, weil sie keine Kraft mehr hatte. Sie fühlte sich, als hätte sie keinen Körper, keine Lunge, keine Kehle mehr, um zu schreien, als bestünde sie nur noch aus Schmerzen. Als die Schläge aufhörten, spürte sie keinen Schmerz, kein Leben mehr. Sam lag stöhnend neben ihr. Blut floss aus jedem Teil seines Körpers. Als er sich bewegte und stöhnte, trat Tasekwa ein letztes Mal gegen seinen Kopf, bevor er sich den Speer geben ließ. Er ging zu Runesu und trieb den Speer mit einer effizienten Bewegung tief zwischen seine Rippen. Der ältere Mann zuckte heftig. Als Tasekwa den Speer wieder herauszog und zu Boden warf, sackte Runesu über den Seilen zusammen, mit denen er gefesselt war.

Ruth wusste nicht, zu wem sie zuerst gehen sollte, zu Runesu oder zu Sam. Sie versuchte aufzustehen, aber ein heftiger Schmerz zuckte durch ihre Hüfte, und sie schrie.

»Gehen wir«, sagte Tichaona. »Irgendwohin, wo wir allein sind. Dort kannst du mir deine Wunden zeigen.«

Ruth rollte zur Seite und rief den Namen von Tichaonas Prophetenvater, bat den jungen Mann, sie zu verschonen und ihr nicht weitere Schmerzen zuzufügen.

»Ja.« Tichaona lachte. »Ich bin ein guter Sohn. Ich werde deine Wunden heilen. Ich werde es so gut tun, dass du und Simba kriegen werdet, was ihr immer wolltet, was die Welt euch verweigert hat.«

»Wenn er es nicht schafft, dann einer von uns«, rief ein anderer Jugendlicher.

»Ja«, sagte Tichaona und holte den Speer.

»Wenn mein Ball nicht ins Tor trifft, dann wird bestimmt einer meiner Freunde treffen.«

Die Jungen scharten sich um Tichaona, als er die Speerspitze zwischen Ruths Brüste setzte und ihn hochhob, um ihre Bluse aufzureißen.

»Warum?«, sagte Sam leise. »Ihr habt nichts gefunden, weil nichts da ist. Lasst sie in Ruhe, denn keiner von uns weiß etwas.«

»Du bettelst nur darum, umgebracht zu werden«, knurrte der Junge mit dem Gewehr. »Dieses Mal werde ich dir den Gefallen tun.« Er zielte auf Sams Kopf.

Ruth schloss die Augen und wartete auf den Schuss. Stattdessen folgte ein Knacken, als der Junge den Gewehrkolben gegen Sams Kopf stieß. Ruth hörte, wie ein Reißverschluss aufgezogen wurde. Sie spürte den Luftzug, als man ihr den Rock hochhob. Die Unterhose wurde ihr ausgezogen, obwohl sie erst die Oberschenkel und dann die Waden überkreuzte. Dann folgte plötzlich Stille, und Ruth schöpfte wieder Hoffnung. Der Augenblick endete in Gelächter und lüsternen Lauten, als sich die Jungen gegenseitig ihre Unterhose zuwarfen.

»Kein Wunder, dass du unfruchtbar bist«, höhnte Tichaona und warf ihr ärgerlich die Unterhose ins Gesicht. In diesem Moment fühlte Ruth klebrige Feuchtigkeit zwischen den Beinen. Erleichterung überwog die Demütigung, und sie blickte zum Himmel. Blitze zerrissen die einsetzende Dämmerung.

Die Jugendlichen sprachen darüber, was mit Ruth zu tun war. »Das ist tabu!«, sagte Tichaona bestimmt. »Schaut doch!« Er deutete mit dem Speer auf die Wolken. »Wollt ihr vom Blitz getroffen werden?« Die Jungen schwiegen.

»Okay, Jungs, gehen wir«, rief Tasekwa aufgeregt.

Als sie in den Wagen stiegen, fing es an zu regnen. Tasekwa schaute zu Runesu, der bewusstlos und blutend auf dem Boden lag. Er zögerte kurz, kniete sich neben ihn und fühlte seinen Puls. Einen Augenblick später trugen die Jugendlichen Runesu zum

Pick-up. Der Motor stotterte und heulte auf, dann verstummte er. Schließlich sprang er an, und sie fuhren davon.

Ruth sah zu, wie der Regen auf die dunkle Stelle in Sams Schritt fiel und in den noch trockenen Stoff sickerte, bis er überall dunkel war. Nach einer gefühlten Ewigkeit und nachdem Sams Kleider nass waren, stand sie auf. Sie schwankte einen Moment lang, dann wappnete sie sich gegen die Schmerzen in ihren Hüften, ihrem Rücken und ihren Beinen und ging so schnell sie konnte ins Haus.

Im Haus suchte Ruth eine Bluse, zog sie über und kehrte zu Sam zurück. Als er aufzustehen versuchte, stöhnte er, übergab sich und sank zurück in den nassen Sand. Halb trug, halb zog sie ihn ins Haus und legte ihn aufs Sofa. Sie ging in das Zimmer, das sie zwei Jahre mit ihrem Mann geteilt hatte. Jetzt endete alles in einsamer Flucht. Sie wusste, dass Tasekwa fort war, aber sie hatte Geschichten von Dorfbewohnern gehört, die gegenseitig ihre Häuser abbrannten. Sie war bereit, das Dorf zu verlassen, auch wenn es bedeutete, dass sie nie wieder würde zurückkommen können. Sie schlang die Arme um sich und weinte.

Der Regen hörte endlich auf, ließ den Himmel schwer und dunkel zurück. Kein Mond, keine Sterne waren zu sehen. Ruth warf die Reisetasche, die sie vor Tasekwas Ankunft noch nicht ausgepackt hatte, aus dem Fenster. Sie ging so rasch wie möglich zurück ins Wohnzimmer, schüttelte Sam und sagte zu ihm, dass sie ihn ins Haus seiner Tante bringen würde. Er wurde nicht wach. Sie sah, dass aus einem seiner Ohren Blut tropfte. Trotz seiner Verletzungen schüttelte sie ihn so heftig, dass er schließlich ein Auge öffnete. Das andere war zugeschwollen. Als Sam immer noch nicht auf ihre Worte reagierte, wurde Ruth klar, dass er nichts hörte. Sie gab ihm eins von Simbas Hemden und half ihm, es anzuziehen. Ihm mit seiner nassen Hose zu helfen, brachte sie nicht über sich. Leise verließen sie das Haus.

Der Hof von Sams Tante war dunkel und still. In der Küche schwelten nicht einmal mehr Kohlen. Nur das einsame Geräusch eines bellenden Hundes begrüßte sie. Auch hier hatten sich die Menschen dem Exodus angeschlossen. Seufzend schob Ruth die Schulter unter Sams Arm, und sie gingen zu Runesus Schule. Immer wieder blieben sie stehen, Sam neigte sich vor und übergab sich. Das Erbrochene war vermischt mit Blut aus seiner Nase, die nicht aufhörte zu bluten. Als sie in der Schule ankamen, konnte sich Sam kaum mehr auf den Beinen halten, und Ruth überlegte zum hundertsten Mal, ob sie ihn zurücklassen und nur sich selbst in Sicherheit bringen sollte.

In der Schule herrschte eine düstere Stimmung. Nachrichten vom Überfall waren ihnen vorausgeeilt. Alle waren nervös. Die Lehrer packten, um früh am nächsten Morgen aufzubrechen. Runesu lag mehr tot als lebendig im Missionskrankenhaus. In seinem Haus hatten sich Leute versammelt und diskutierten über die Ereignisse. Ruth hörte schweigend zu, als sie erzählten, dass Tasekwa einen Angriff der gegnerischen Partei gemeldet hatte. Für Sam wurde Platz auf einem Sofa gefunden. Mehr Leute kamen herein, die sich auf den Boden setzen oder wieder hinausgehen sollten. Die Geschichten wurden zunehmend bestürzender. Viele stellten ihr Fragen, doch Ruth bestätigte noch dementierte sie irgendetwas. Sie konnte kaum sitzen und betete lautlos für Mai Runesu, die leise schluchzte.

Mitten in der Nacht kam Runesus Stellvertreter, ein Mann namens Hungwe, und fragte, was sie alle hier taten und warum sie den Leuten nicht die notwendige Luft zum Atmen ließen. Er übernahm sofort die Kontrolle, und zehn Minuten später wurde Sam im Auto des Stellvertreters ins Krankenhaus gefahren. Die Leute gingen in kleinen Gruppen hinaus, bis Ruth und Mai Runesu schließlich allein, alle Türen verschlossen und die Eingangstüren verriegelt waren. Ruth sprach leise, erzählte der älteren Frau die Wahrheit, denn eine Frau verdient es, die Wahrheit zu erfahren, wenn ihr Mann von Mitgliedern seiner eigenen Partei angegriffen wird.

Als die Hähne in der Morgendämmerung endlich krähten, war Ruth seit Stunden wach, hatte im Kerzenlicht ihre Wunden gewaschen und auf jedes Geräusch von draußen gehört, als könnte sie mit dem Zauber des Zuhörens Tasekwas Pick-up davon abhalten, zurückzukommen. Als die Dunkelheit nach dem Gewitter der Dämmerung wich, verließen die beiden Frauen gemeinsam das Haus. Ruth verabschiedete sich von ihrer Gastgeberin. Sie stieg in einen Bus, und Mai Runesu fuhr in die Mission, um ihren Mann im Krankenhaus zu besuchen.

Erst als sie im Bus saß, hatte Ruth das Gefühl, Tasekwa hinter sich gelassen zu haben. Dennoch blieb die Angst. Ihr Herz schlug heftig, wann immer sie zu einer Straßensperre kamen. Dieser Tage arbeiteten das Militär und die Verkehrspolizei zusammen und hatten alle paar Kilometer einen Kontrollpunkt errichtet.

Obwohl der Fahrer die Polizisten bestochen hatte, stiegen an einer Straßensperre sechs Jugendliche in den Bus. Die jungen Männer mit den Parteiabzeichen in den Farben der regierenden Fraktion, die geschworen hatte, Mai Zheves Partei zu zerlegen, stolzierten durch den Gang. Ein junger Mann begann zu rufen, dass sich die anderen Parteien gegen seine eigene wandten. Er spielte mit dem kollektiven Wissen, um den Passagieren Angst einzujagen. Ja, fuhr der Jugendliche fort, er und seine Kollegen würden aufdecken, wer die wahren Schuldigen waren. Die Leute erstarrten, und der Geruch im Bus veränderte sich. Ruth begann zu schwitzen, und ihr Magen zog sich zusammen. Sie betete, dass den Fahrgästen nicht befohlen würde, auszusteigen, denn dann würden sie sie als eine der Personen erkennen, nach denen sie suchten. Dass sie gefoltert worden war, wäre ihnen gleichgültig. Ja, sie wusste, dass sie weitere Folter zu erwarten hatte, bis sie ihnen die gewünschten Namen nannte. Die jungen Männer gingen im Bus bis nach hinten, wo sie drei Männer ergriffen und auf die Straße zerrten. Der Bus fuhr weiter, und Ruth wusste, dass sie so sicher war, wie sie nur sein konnte, solange sich der Terror Politik nannte.

Am späten Nachmittag kam der Bus in Harare an. Ruth fand einen Taxifahrer, der einverstanden war, sie für einen fairen Betrag nach Westgate zu fahren, wo ihre Schwiegerfamilie wohnte. Sie schaute aus dem Fenster, versuchte, sich zu konzentrieren, verlor sich jedoch in dem Gewirr dessen, was sie hatte durchmachen müssen. »Halt!«, rief sie plötzlich, nachdem das Taxi schon eine große Distanz zurückgelegt hatte. »Ich gehe nicht zu ihnen zurück!«

»Madam, alles in Ordnung? Möchten Sie jemanden anrufen?«, fragte der Fahrer geduldig.

»Nein. Fahren Sie mich einfach nach Mabvuku«, entgegnete Ruth und nannte die Adresse ihrer Schwester.

Die Straße in das Armenviertel Mabvuku war holprig. Ruth versuchte, ihre Hüfte zu schonen, und verlagerte das Gewicht, um die Fahrt durch die Schlaglöcher für sich erträglich zu machen.

Es war dunkel, als sie bei ihrer älteren Schwester ankam. Die Familie war gut gelaunt. Ruths Zwillingsnichten unterhielten die Erwachsenen. Sie ließen die Hüften kreisen und wackelten mit den Hintern, wie sie es gerade im Fernsehen gesehen hatten. Die Eltern lachten, klatschten und lobten die Mädchen. Ihre Schwester drehte sich um und starrte Ruth an, als sie hereinkam, doch die kleinen Mädchen tanzten weiter.

»Bist du zu Papas Geburtstag gekommen?«, fragten die Nichten und winkten. Dann hielten sie inne und betrachteten ihre Tante. »Auntie, was ist mit deinem Gesicht passiert?«, fragten sie zunehmend neugierig.

»Kommt«, befahl ihre Mutter. Die Mädchen protestierten. Sie wollten weitertanzen, doch ihre Mutter fasste sie an den Armen und zog sie aus dem Zimmer.

»Simba!«, sagte Ruths Schwager wütend. »Lüg mich nicht an. Sag bloß nicht, dass es nicht Simba war, der dir das angetan hat.«

Den Tränen nahe nickte Ruth und schüttelte den Kopf. Ihre Schwester kam zurück und umarmte sie. Ruth hielt sich an der älteren Frau fest. Später stritten sie darüber, ob sie zur Polizei gehen sollten oder nicht. Schließlich sah die Familie ein, dass Ruth recht hatte mit ihrer Beobachtung, dass die Polizei nicht für das Volk arbeitete, ob es ihnen nun gefiel oder nicht. Obwohl Ruth meinte, dass sie nicht ernsthaft verletzt war, stimmte sie zu, sich im Krankenhaus untersuchen zu lassen.

Die Ärztin, die sie untersuchte, wurde sehr wütend und hielt Ruth einen Vortrag über die Risiken häuslicher Gewalt. Auch sie versuchte, Ruth zu überreden, zur Polizei zu gehen. Als Ruth erklärte, sie würde zur Polizei gehen, sobald sie sich kräftig genug dafür fühlte, gab ihr die Ärztin die Adresse eines Hauses, in dem misshandelte Frauen Zuflucht fanden, ohne dass ihnen Fragen gestellt wurden. Was die Folter bei Ruth nicht vermocht hatte, erreichte die Freundlichkeit. Ruth brach zusammen und erzählte der jungen Ärztin, was ihr angetan worden war. Die Ärztin hörte zu, ohne sie zu unterbrechen, und als Ruth sich wieder beruhigt hatte, setzte sie die Untersuchung fort, ohne die Polizei noch einmal zu erwähnen. Nachdem sie Ruths Gesicht versorgt und eine hässliche klaffende Wunde auf ihrem Hintern genäht hatte, legte ihr die Ärztin die Hand auf den Bauch.

»Blutest du, Ruth?«, fragte sie.

Ruth nickte. »Es hat angefangen, nachdem sie mich geschlagen haben«, erklärte sie. »Das hat mich vor Schlimmerem bewahrt.«

Die Ärztin ordnete eine weitere Untersuchung an, und Ruth wurde in die Radiologie gebracht. Als sie fertig war, wischte die junge Ärztin das Ultraschallgel ab und reichte Ruth weitere Papiertücher, um sich selbst zu reinigen.

»Also, Ruth«, sagte die Ärztin, als Ruth fertig war. »Du hast da einen kleinen Kämpfer in dir. Ich werde dich eingehend überwachen, damit du und dein Baby am Leben bleiben.«

Ruth starrte die Ärztin lange Zeit an, bis sie begriff, dass sie nicht träumte. Sie konnte kaum glauben, dass sie keine unfruchtbare Frau mehr war. Sie hatte einen langen Kampf hinter sich, und jetzt hatte sie einen anderen vor sich, um das Baby am Leben zu erhalten. Ruth begann zu lachen, zumindest glaubte sie es. Die Ärztin hielt Ruths Hand und legte ihr ein Papiertuch in die andere Hand. Ruth wischte sich wieder über den Bauch, während sie laut schluchzte. Die Ärztin nahm ein weiteres Papiertuch und wischte ihr sanft die Tränen aus dem Gesicht.

Das Baby kam vorzeitig auf die Welt, einen Tag nachdem Ruth bei Tasekwas Prozess gewesen war. Ihren Peiniger wiederzusehen, hatte ihren Blutdruck in die Höhe schnellen lassen.

Hope war der Name, den Ruth und Simba ihrer kleinen Tochter gaben.

»Wenn sie erwachsen ist«, sagte Simba, »werden wir in einem anderen Land leben. Allen Verbrechern wird der Prozess gemacht werden, nicht nur denen aus der Oppositionspartei.«

Trotz allem, was er Ruth angetan hatte, schmerzte es Simba, Tasekwa vor Gericht zu sehen. Er organisierte in der Partei finanzielle Hilfe für ihn. Mrs Zheve sagte nicht viel, bestand jedoch darauf, dass mehr Frauen in der Politik vonnöten wären. Als würde er mit seiner Mutter übereinstimmen, legte Simba seine eigene Karriere auf Eis. Er hörte sich zerknirscht die Vorhaltungen seines Schwiegervaters an, bis Ruth ihre Schwester bat, ihrem Vater zu erklären, dass genug gesagt worden war. Simba seinerseits versprach alles, was seine Schwiegerfamilie von ihm verlangte. Er ging noch immer zu Parteiveranstaltungen, doch er, Ruth und die kleine Hope lebten in der Stadt, und Simba brachte die Parteipolitik nicht mehr mit nach Hause. Er versprach, es nie wieder zu tun, bis seine Tochter erwachsen und Ruth selbst auch bereit wäre, sich in der Politik zu engagieren. Wann immer Ruth ihrer Tochter in die Augen schaute, spürte sie, wie sich aller Schmerz auflöste, obwohl Runesu seinen Verletzungen erlegen war.

Als die politischen Auseinandersetzungen etwas abflauten, ungefähr ein Jahr nach der Attacke, fuhr Ruth ins Dorf und besuchte Runesus Grab. Irgendwo unter dem schimmernden Grabstein, den Runesus Frau hatte aufstellen lassen, lagen die Überreste eines Mannes, der gekommen war, um mit einem Genossen zu sprechen, einem Kollegen aus seiner eigenen Partei, der ihn schließlich umgebracht hatte. Ruth verspürte eine merkwürdige Verwandtschaft mit Runesu. Er hatte alle Machtkämpfe hinter sich gelassen und wie sie Ruhe gefunden. Sie stand ein paar Minuten still am Grab und murmelte ein Gebet. Nachdem ihr Gebet in den blauen Himmel aufgestiegen war, ging sie zu Sam, der die kleine Hope auf dem Arm hielt. Hope wandte ihr das Gesicht zu, als wüsste sie, dass ihr ihre Mutter in die Augen schauen musste. Ruth schauderte und griff nach der Hand ihrer Tochter. Gemeinsam gingen sie zum Laden, um zu bewundern, was der seitdem taube Sam daraus gemacht hatte.

Über die Autor*innen

Ignatius Tirivangani Mabasa ist Schriftsteller, Übersetzer und Geschichtenerzähler in Shona. Er setzt sich für die Intellektalisierung afrikanischer Sprachen, Vielsprachigkeit und Dokumentation von indigenem Wissen ein. Mabasa ist Dozent an der University of Zimbabwe. Er war Fulbright-Stipendiat (USA) und Writer in Residence und Geschichtenerzähler (University of Manitoba, Kanada). Während der letzten fünfzehn Jahre hat er Shona-Volkserzählungen gefördert, indem er sie in Form von Filmen und auf Social-Media-Plattformen zugänglich machte. Sein digitales *Ngano*-Projekt (Volkserzählungsprojekt) gewann 2022 den Research and Innovation Award der University of Zimbabwe. Er forscht an der School of Languages: African Languages, Rhodes University, Südafrika. Er war der erste Simbabwer, der seine Doktorarbeit in Shona geschrieben hat.

Yandani Mlilo ist eine visuelle und kreative Künstlerin mit einem Diplom in Sozialarbeit von der Women's University in Africa (2014–2015), einem Abschluss in Theaterkunst von Theory X Media (2009–2012) und einem Abschluss des Kunststudiums an der Peter Birch School of Art (2008). Neben ihrem Beitrag zu diesem Buch hat sie weitere Erzählungen veröffentlicht. Yandani übersetzt und transkribiert Englisch, Shona und Ndebele.

Elizabeth R. S. Muchemwa (Zaza Muchemwa) Die Gedichte und Theaterstücke von Zaza Muchemwa wurden von PEN International und Badilisha Poetry X-Change und in der Anthologie *Zimbabwe*

Poets for Human Rights veröffentlicht. Sie ist die Autorin des Stücks *The IV Interrogation* und wurde als Theaterregisseurin und Produzentin ausgezeichnet.

Charmaine R. Mujeri ist eine simbabwische Theater- und Filmschauspielerin und Schriftstellerin. 2020 war sie als beste Nebendarstellerin bei den Africa Movie Academy Awards (AMAA) für die Rolle der Zoe in *Mirage* und beim African Distillers' Best Newcomer and Supporting Actress Award für die Rolle als MacDuff in der Produktion von Shakespeares *Macbeth* des Reps-Theater nominiert. Während ihrer fünfzehnjährigen künstlerischen Karriere ist Charmaine beim Harare International Festival of Arts, Shoko Festival, dem International Images Film Festival for Women und dem LitFest aufgetreten. 2022 war sie Mitglied der James Currey Jury for African Literature, derzeit ist sie Direktorin der James Currey Society und leitet die Organisation darstellender junger Künstler*innen Chipawo in Mashonaland East Chapter.

Karen Mukwasi engagiert sich für Frauenrechte, ist Geschichtenerzählerin und setzt sich für digitale Rechte ein. Seit über dreizehn Jahren arbeitet sie in Simbabwe und darüber hinaus, um online und offline sichere Orte zu schaffen. Als Autorin greift sie unterschiedliche soziale Themen auf, die afrikanische Frauen betreffen. Ihre Geschichten wurden unter anderem in *Deyu African*, *Zimbabwe Briefing* und *WorldPulse* veröffentlicht. Sie ist Gründungsmitglied der Pada Platform, einer feministischen Plattform für digitale Inklusion, die mit jungen Frauen und Mädchen in ganz Simbabwe arbeitet. Karen war Stipendiatin des Mandela Washington Fellowship und des Obama Foundations' Leaders Africa Program.

Über dieses Buch

Die Schwere des Seins war ein Projekt des Institute of Creative Arts for Progress in Africa (ICAPA) Trust, das Überlebenden jedweder Gewalt, gleichgültig aus welchem Grund sie ausgeübt wurde, Platz einräumen will, um sich durch unterschiedliche Kunstformen auszudrücken. Ziel ist es, das Schweigen zu beenden sowie die Spirale der Gewalt zu durchbrechen.

Dieser Band von Erzählungen basiert auf Berichten, die 2010 in simbabwischen Gemeinden gesammelt wurden. Sie wurden zudem als Theaterstücke in den Gemeinden aufgeführt.

Die Autor*innen dieses Bandes haben an einem zweiwöchigen Workshop teilgenommen. Der Workshop wurde von ICAPA organisiert, finanziert von der Rosa-Luxemburg-Stiftung und geleitet von Tsitsi Dangarembga, Ignatius Tirivangani Mabasa und Madeleine Thien.

ICAPA engagiert sich weiterhin sowohl mit den Theaterstücken als auch den Kurzgeschichten in simbabwischen Gemeinden. ICAPA plant, die Erzählungen in andere Narrative, darunter Film, zu übertragen. Die Stiftung beabsichtigt zudem, das Projekt in anderen von Gewalt heimgesuchten Ländern auf dem afrikanischen Kontinent und der gesamten Welt durchzuführen.

Originaltitel: *A Family Portrait*
Die Originalausgabe erschien 2014 bei ICAPA Publishing
© 2022 Tsitsi Dangarembga, Ignatius Tirivangani Mabasa, Yandani Mlilo, Elizabeth R. S. Muchemwa, Charmaine R. Mujeri, Karen Mukwasi
Workshopleitung: Madeleine Thien, Tsitsi Dangarembga, Ignatius Tirivangani Mabasa
Inhaltliche Redaktion: Tsitsi Dangarembga, Julia Odaka Mundawarara
Lektorat Originaltexte: Tsitsi Dangarembga, Julia Odaka Mundawarara, Felicity Mange

1. Auflage 2024
© 2024 Orlanda Verlag, Berlin
www.orlanda.de

Übersetzung: Anette Grube
Lektorat: Palma Müller-Scherf
Korrektur: Miriam Gries, Jessica Zeltner
Umschlag: Orlanda Verlag
Umschlagfotos: © Adobestock
Herausgeberinnenfoto: © Hannah Mentz
Foto Übersetzerin: © privat
Satz: brama Studio, Wien
Druck und Bindung: CPI-Print, Leck
Printed in Germany
ISBN 978-3-949545-43-6

Bei aller Sorgfalt können auch wir Fehler übersehen.
Deshalb freuen wir uns, wenn Sie uns Hinweise auf Fehler
an folgende Adresse schicken: mail@orlanda.de